AFGHANISTAN
OMBRES ET LÉGENDES

21, rue de l'Université – 75007 Paris
www.lienarteditions.com

ISBN : 978-2-35906-391-2
ISBN MNAAG : 979-10-90262-70-6
Imprimé en République tchèque
(Union européenne)
Dépôt légal : octobre 2022

AFGHANISTAN
OMBRES ET LÉGENDES

UN SIÈCLE DE RECHERCHES ARCHÉOLOGIQUES

LIENART

Ce catalogue est publié à l'occasion de l'exposition *Afghanistan, ombres et légendes. Un siècle de recherches archéologiques* présentée au musée national des arts asiatiques – Guimet du 26 octobre 2022 au 6 février 2023.

Avec le soutien
de la Fondation ALIPH

ALIPH
Alliance internationale
pour la protection
du patrimoine dans
les zones en conflit

Commissariat général

Sophie Makariou
Conservatrice générale du patrimoine, présidente du MNAAG

Commissariat

Nicolas Engel
Conservateur en chef du patrimoine, collections Afghanistan-Pakistan, MNAAG

EXPOSITION

Production

Katia Mollet
Directrice de la programmation et du public

Anne Quillien
Responsable du pôle expositions

Valentine Magne
Chargée de production des expositions

Graphisme et signalétique

Maïté Vicedo
Responsable du pôle identité visuelle et médiation

Régie des collections et documentation

Adil Boulghallat
Responsable du pôle régie

Laurence Berlandier
Régisseuse d'œuvre

Hourya Gaubert
Régisseuse d'œuvre

Dominique Fayolle-Reninger
Chargée de documentation des collections

Ananya Pramod
Chargée de récolement

Communication

Anna-Nicole Hunt
Chargée de communication

Chérifa Lehtihet
Chargée de communication – réseaux sociaux

Claire Solery
Chargée de projets numériques

Action culturelle et artistique

Cécile Becker
Responsable du pôle action culturelle et artistique

Mécénat

Lionel Favereau
Responsable du mécénat

Scénographie

Agence NC, Nathalie Crinière et Héloïse Lévêque

CATALOGUE

MUSÉE NATIONAL DES ARTS ASIATIQUES – GUIMET

Aude Ferrando
Responsable du pôle éditions

LIENART ÉDITIONS

Michaële Liénart
Directrice

Aurélien Moline
Coordination éditoriale

Philippe Rollet
Contribution éditoriale

Agnès Rousseaux
Conception graphique

Florence Lecanu
Traductrice pour le texte de Susanne Annen et Omar Khan Massoudi

REMERCIEMENTS DES COMMISSAIRES

Nous souhaitons exprimer toute notre gratitude aux personnes et institutions qui, par le soutien et la confiance qu'ils ont bien voulu accorder à cette exposition, ont ainsi contribué à sa bonne réalisation :
Le ministère de l'Europe et des Affaires étrangères, et plus particulièrement Olivier Huynh-Van, conseiller de coopération et d'action culturelle à l'ambassade de France pour l'Afghanistan ;
La Délégation archéologique française en Afghanistan, et plus particulièrement Philippe Marquis, son directeur, et Julio Bendezu-Sarmiento, qui l'a précédé à ce poste.

Nous adressons nos chaleureux remerciements aux responsables des institutions prêteuses, ainsi qu'à leurs équipes :
Laurence des Cars, présidente-directrice du musée du Louvre ;
Laurence Engel, directrice de la Bibliothèque nationale de France ;
Hartwig Fischer, directeur du British Museum ;
Olivier Gabet, directeur du musée des Arts décoratifs ;
Emmanuel Kasarhérou, président du musée du quai Branly – Jacques Chirac ;
Luis Monreal, directeur général de l'Aga Khan Trust for Culture ;
Andrea Viliani, directeur du museo delle Civiltà.

Nous remercions également les responsables des institutions de fonds photographiques et leurs équipes :
Claudia Baroncino, directrice de la Fondation Alinari pour la photographie ;
Gilles Désiré dit Gosset, directeur de la Médiathèque de l'architecture et du patrimoine ;
Lorène Duret, directrice de l'association Les amis de Marc Riboud ;
Shalimar Fojas-White, directrice de la Harvard Fine Arts Library ;
Thomas Römer, administrateur du Collège de France ;
Adriano Valerio Rossi, président de l'IsMEO.

Pour leur précieux concours, nous adressons toute notre reconnaissance à :
Sandra Aube ; Pierre Cambon ; Giuseppe Ceroni ; Cristina Cramerotti ; Aurore Didier ; Anna Filigenzi ; Frantz Grenet ; Michael Jung ; Yannick Lintz ; Steve McCurry ; Ajmal Maiwandi ; Ariane Thomas ; Yves Ubelmann ; et à l'ensemble des contributeurs du catalogue de l'exposition.

Les auteurs

Susanne Annen
Directrice des expositions, Bundeskunsthalle, Bonn ; ancienne conseillère auprès du Musée national d'Afghanistan

Sandra Aube
Chargée de recherches, UMR 8041 Centre de recherche sur le Monde iranien (CeRMI)

Julio Bendezu-Sarmiento
Chargé de recherches, laboratoire d'éco-anthropologie du musée de l'Homme (CNRS/MNHN) ; ancien directeur de la DAFA

Olivier Bordeaux
Chargé de recherches, UMR 7041 Archéologie de l'Asie centrale (ArScAn), Maison des sciences de l'homme Mondes (MSHM) ; ancien secrétaire scientifique de la DAFA

Pierre Cambon
Conservateur général du patrimoine, collections Afghanistan-Pakistan et Corée, MNAAG

Annabelle Collinet
Chargée de collections du monde iranien médiéval, département des Arts de l'Islam, musée du Louvre

Bruno Dagens
Professeur émérite, université Paris-III Sorbonne nouvelle

Noémie Daucé
Conservatrice du patrimoine, département des Antiquités orientales, musée du Louvre

Nicolas Engel
Conservateur du patrimoine, collections Afghanistan-Pakistan, MNAAG ; ancien secrétaire scientifique de la DAFA

Anna Filigenzi
Professeure associée en archéologie et histoire de l'art de l'Asie centrale et du Sud, université de Naples – L'Orientale

Ute Franke
Ancienne directrice adjointe du Museum für Islamische Kunst, Staatliche Museen zu Berlin

Roberta Giunta
Professeure d'archéologie musulmane et d'épigraphie islamique, université de Naples – L'Orientale

Frantz Grenet
Professeur au Collège de France, chaire Histoire et culture de l'Asie centrale préislamique

Catherine Jarrige
Ancienne directrice de l'UMR 9993 Centre de recherches archéologiques Indus-Balochistan (CNRS/Guimet)

Yury Karev
Chargé de recherches, UMR 8546 Archéologie et philologie d'Orient et d'Occident, CNRS

Régis Koetschet
Ancien ambassadeur de France en Afghanistan

Thomas Lorain
Chercheur à l'université Otto-Friedrich (Bamberg), ancien directeur de la MAFAB (mission archéologique franco-afghane à Bamiyan) ; ancien secrétaire scientifique de la DAFA

Ajmal Maiwandi
Directeur exécutif de l'Aga Khan Trust for Culture

Sophie Makariou
Conservatrice générale du patrimoine

Philippe Marquis
Directeur de la Délégation archéologique française en Afghanistan

Omar Khan Massoudi
Ancien directeur du Musée national d'Afghanistan

Julien Rousseau
Responsable des collections Asie, musée du quai Branly – Jacques Chirac

Abdel-Ellah Sediqi
Ancien ambassadeur de la République islamique d'Afghanistan en France

Yves Ubelmann
Président et fondateur d'Iconem

SOMMAIRE

PRÉFACES

Le musée national des arts asiatiques – Guimet a été l'un des premiers au monde à révéler la richesse historique et culturelle de l'Afghanistan. Il est aussi étroitement lié à la Délégation archéologique française en Afghanistan (DAFA), dont la France commémore le centième anniversaire cette année. Cette célébration, si importante dans l'histoire des savoirs sur les civilisations de la « Haute-Asie », se fait hélas sans les conservateurs du musée de Kaboul. Mais la recherche est un fanal qui ne doit pas s'éteindre, et commémorer l'Afghanistan en ces temps difficiles c'est dire notre fidélité à une quête et à des femmes et des hommes, d'hier comme d'aujourd'hui. Bien avant la création de la DAFA et son implantation à Kaboul, longtemps avant l'arrivée des premiers témoignages matériels d'une puissante et magnifique histoire – et la délicatesse des sourires de Hadda qui fascinèrent André Malraux n'en est que l'un des aspects –, c'est un Français avancé fort loin en Asie, le général Court, qui découvrit dans les années 1820 les premières traces de l'art du Gandhara, suivi par plusieurs de ses compatriotes : Alfred Foucher, qui forgea le terme de « gréco-bouddhique » et chercha inlassablement, sans succès alors, ce maillon grec manquant à l'histoire de l'Europe ; ou encore Marie Hackin, venue avec son mari, Joseph Hackin, directeur du musée Guimet et de la DAFA, qui mit au jour l'extraordinaire trésor de Begram, aujourd'hui partagé entre Paris et Kaboul et désormais seulement visible à Paris. Enfin, c'est uniquement à Paris que l'on peut aussi apprécier l'art du monastère de Fondukistan, dont toutes les œuvres qui étaient conservées au musée de Kaboul furent victimes de l'énergie destructrice répandue sur le pays à partir de 1992, et qui s'acheva par la destruction des bouddhas de Bamiyan en 2001.

Les civilisations comme les œuvres sont choses fragiles, toutes également périssables. La ténacité méthodique de l'archéologue, la patiente quête de l'historien et le travail de fond des musées endiguent l'effacement et l'oubli ; ils disent la profondeur de notre mémoire et l'universalité des enjeux de sa préservation pour tous, pour que les ombres et les légendes demeurent, comme autant de témoignages vivants.

Rima Abdul-Malak
Ministre de la Culture

Au lendemain de l'indépendance, c'est à la France que les autorités afghanes ont fait appel pour valoriser le patrimoine historique et culturel particulièrement riche de leur pays. Elles souhaitaient que cet héritage contribue à fédérer la jeune nation afghane autour d'une identité commune. Ainsi fut posée la première pierre d'une coopération qui, depuis la création de la Délégation archéologique française en Afghanistan (DAFA) il y a un siècle de cela, en 1922, s'est transformée en une relation d'amitié singulière. La présente exposition, organisée par le musée national des arts asiatiques – Guimet grâce aux éléments collectés notamment par la DAFA, en est une manifestation éclatante.

Cette commémoration intervient dans un contexte particulier, alors que le retour des talibans en Afghanistan a plongé le pays dans une profonde crise humanitaire, politique, sociale, économique. Alors que le patrimoine afghan est à nouveau menacé par ceux qui ont, à partir de 1996, détruit les œuvres conservées au musée de Kaboul puis les bouddhas de Bamiyan, je suis fière de réaffirmer l'attachement de la France à la préservation et à la valorisation de la culture afghane, dont les collections permanentes du musée Guimet hébergent également de magnifiques exemples, telles les dernières œuvres subsistant du monastère de Fondukistan.

Je suis fière de rappeler le rôle des archéologues français dans la mise au jour de cette culture héritée des conquêtes d'Alexandre, qui a fait de l'Afghanistan le creuset d'une culture unique par son syncrétisme, au croisement des influences helléniques, perses, indiennes et bouddhiques. Ce fut d'abord, dans les années 1820, la découverte des premières traces de l'art du Gandhara, où il arrive que les statues du Bouddha et des bodhisattvas empruntent leurs traits à Dionysos. C'est Alfred Foucher, premier directeur de la DAFA, qui forgea le terme « gréco-bouddhique » pour désigner cet art si particulier. C'est Marie Hackin, venue avec son mari, Joseph Hackin, directeur du musée Guimet et de la DAFA, qui mit au jour l'extraordinaire trésor de Begram, présenté en 2007 à Paris dans sa quasi-totalité au musée Guimet, à l'occasion d'une exposition inaugurée par les présidents Jacques Chirac et Hamid Karzaï.

Seuls la recherche et le travail de fond menés par les musées peuvent préserver de l'effacement et de l'oubli les œuvres de l'esprit humain, dont nous savons qu'elles sont tout aussi mortelles que les civilisations. En organisant cette manifestation, le musée national des arts asiatiques – Guimet met en lumière ce qui nous rassemble et nous offre en partage un puissant message d'universalité. C'est aussi pour nous l'occasion de réaffirmer notre solidarité avec les Afghanes et les Afghans sur le plan humanitaire mais aussi dans la défense des droits de l'Homme, et en particulier des femmes, à nouveau privées de tout. À travers l'art et les liens entre nos sociétés, nous continuerons d'entretenir la profonde amitié qui lie nos deux pays, par-delà les soubresauts de l'Histoire.

Catherine Colonna
Ministre de l'Europe et des Affaires étrangères

Il y a cent ans la France lançait une politique d'influence culturelle qui dure encore aujourd'hui. Tandis que cette stratégie de rayonnement se mettait en place, notre pays, à la demande de l'Afghanistan, créait la Délégation archéologique française en Afghanistan. Nous nous engagions dans une voie qui mêlait à la fois la rigueur scientifique – et la recherche archéologique peut être une austère ascèse – et l'esprit d'aventure. Car en 1922, pour se rendre dans ce pays et le pénétrer, il fallait des corps solides et des âmes bien trempées. Aussi bienveillante qu'ait été la royauté afghane et si accueillant à l'étranger qu'on le soit traditionnellement en terres d'Islam, il fallait pour se gagner le pays et ses gens un bon équilibre d'audace et de prudence, une compréhension sûre des codes autant qu'une solide culture. En premier lieu les Français, pétris de références classiques, cherchaient « le maillon grec ». C'est la poursuite vaine que mena Alfred Foucher à Balkh, l'ancienne Bactres. Mais dans ces paysages fantastiques, sublimes, en surplomb sur l'humain, tandis que la quête était longtemps déçue, c'est la poésie de « crépuscule d'Islam » qui gagna beaucoup de ceux qui y assistèrent. Le pays envoûte ; les archéologues, les écrivains ; parfois leurs routes se mêlent ; parfois elles s'évitent comme celle des Malraux et des Hackin, couples d'archéologues et figures héroïques. À travers les épisodes de la difficile histoire de l'État afghan les archéologues français n'ont pas renoncé, ils ont accompagné ce pays, son ouverture à d'autres missions élargissant le champ des possibles, sans faillir depuis un siècle. Encore aujourd'hui, alors que nous sommes éloignés du terrain, des sites et de nos collègues afghans, le fil est là qui autorisera, lorsque les conditions le permettront, la reprise de l'activité de recherches partagées. En attendant elles continuent à Paris par un autre biais : une manne documentaire extrêmement riche a été formée par ces années de recherches. Elles appellent à considérer autrement le terrain.

Il n'en demeure pas moins que de réelles urgences nous inquiètent : c'est l'état précaire par exemple de la remarquable tour de Jam construite par la dynastie ghuride (XIIe siècle), dans un défilé peu accessible ; c'est encore la stabilité et la préservation des abords de la falaise de Bamiyan ; c'est aussi la conservation du site de Mes Aynak.

Ne nous leurrons pas : aucune documentation ne peut se substituer à un site. Cependant soyons sûrs que maintenir allumée la flamme des études, qu'engranger le plus possible d'information pour, à distance, continuer de faire avancer la compréhension que nous avons de la grande profondeur du patrimoine afghan n'est pas un pis-aller mais une nécessité. Ce qui permettra, le moment venu, de pouvoir procéder à des interventions urgentes. Car après le temps des conflits humains vient le long temps de la mémoire des hommes qui ne s'éteint pas.

Cette exposition est dédiée à la mémoire des directeurs et archéologues de la DAFA, des archéologues qui ont travaillé en Afghanistan, et au peuple afghan.

Sophie Makariou
Présidente du MNAAG

Alliance internationale pour la protection du patrimoine dans les zones en conflit

Sans l'Afghanistan, sans la tragédie de la destruction des bouddhas de Bamiyan en mars 2001, ALIPH n'aurait sans doute jamais vu le jour. Mais il aura fallu Bamiyan, puis Tombouctou, Palmyre, Alep, Raqqa, Mossoul ou encore Hatra pour que la communauté internationale se dote d'un instrument scientifique et financier exclusivement dédié à la protection du patrimoine dans les zones en conflit, complémentaire du rôle joué par l'Unesco.

Aussi l'Afghanistan, ce pays marqué par la grâce et la vulnérabilité d'une civilisation brassée de peuples, d'ethnies, de religions et de cultures, qui plonge dans les profondeurs de l'histoire du monde, est-il depuis notre création une priorité : aux côtés de partenaires de confiance et de grand talent, ALIPH soutient ainsi une douzaine de projets de protection du patrimoine afghan, notamment la réhabilitation de la citadelle de Bala Hissar, au cœur de Kaboul, mise en œuvre par l'Aga Khan Trust for Culture (AKTC) et la Délégation archéologique française en Afghanistan (DAFA), et la restauration du magnifique stupa de Shewaki, menée par l'Afghanistan Cultural Heritage Consulting Organization (ACHCO).

ALIPH a été créée en 2017 à Genève, à l'initiative de la France et des Émirats arabes unis, sous la forme d'une fondation de droit suisse bénéficiant des privilèges et immunités d'une organisation internationale. Ce partenariat public-privé est soutenu depuis l'origine par sept États membres – l'Arabie Saoudite, la Chine, la France, les Émirats arabes unis, le Koweït, le Luxembourg et le Maroc –, trois donateurs privés – Thomas S. Kaplan et les fondations Gandur pour l'Art et Andrew W. Mellon –, et la Suisse, pays hôte. Depuis, d'autres fondations privées ou États se sont engagés aux côtés d'ALIPH, comme Monaco, Oman ou la Roumanie. Récemment, la Commission européenne a soutenu ALIPH pour son action en Ukraine.

La philosophie qui anime notre fondation se résume en trois mots : action, agilité, terrain. La fondation a ainsi d'ores et déjà engagé 50 millions de dollars américains au soutien de 160 projets de protection ou de réhabilitation de monuments, sites, musées, collections d'œuvres d'art ou de manuscrits, édifices religieux, dans trente pays, sur quatre continents. Son fonctionnement en mode *start-up* en fait un instrument d'une très grande agilité, comme l'illustre son action au soutien du patrimoine ukrainien depuis février 2022. ALIPH a enfin pour priorité de soutenir des projets concrets et de travailler le plus étroitement possible avec les acteurs locaux. Notre objectif ultime est de protéger le patrimoine pour contribuer effectivement au développement durable et à la paix.

De récents conflits ont montré que le patrimoine était plus que jamais une cible voire une arme de guerre : sa protection est bien un enjeu qui est devant nous. Aussi la communauté internationale doit-elle demeurer attentive au sort du patrimoine des pays en guerre, dénoncer, chaque fois que nécessaire, les dommages qui lui sont causés, et soutenir ceux qui le protègent.

Valéry Freland
Directeur exécutif d'ALIPH

La citadelle de Bala Hissar, à Kaboul, avant travaux de restauration, 2019

INTRODUCTION

Rêve d'archéologie et éveil politique, l'histoire afghane au miroir du monde

Sophie Makariou

« Bien sûr c'est par la culture que tout a commencé car tout procède de l'esprit. »

Charles de Gaulle, dans son mot d'adresse au roi Zaher Shah lors de la réception donnée en son honneur à l'Élysée, juin 1965

La carte de l'Afghanistan est curieuse : compacte comme une tache, hérissée de montagnes en son cœur, traversée d'un important réseau hydrographique, elle pousse un corridor ténu, le Wakhan, entre Pamir et Hindou Kouch. Le Wakhan sépare hypothétiquement la Chine d'avec ce qui était autrefois le Raj et la Russie, ensembles impériaux décomposés auxquels se sont substitués en ces lieux le Pakistan, né en 1947, et le Tadjikistan, en 1991. La carte dit l'origine et les drames futurs de l'Afghanistan, terre de tout homme « qui voulut être roi[1] ». Le Wakhan est comme un condensé des enjeux et complexités de l'Afghanistan : c'est une région peuplée de nomades persanophones et de Kirghizes turcophones.

Dès le XVIIIe siècle le faible royaume d'Afghanistan a vu échapper à son contrôle plusieurs zones dont Peshawar (1818) et le Cachemire (1819), sous occupation sikhe. Pour comprendre la situation de la région jusqu'à nos jours il faut revenir au XIXe siècle, au *Great Game*[2] ; c'est ce *Great Game* qui amène à la formation de l'Afghanistan dans ses frontières actuelles. Après la tourmente des luttes d'influence et des conflits entre Russes et Britanniques, au terme d'un siècle de guerres russo-persanes (entre 1722 et 1828) pour la domination du Caucase, aiguillonnées par les Britanniques, le pays naît ainsi amputé de plusieurs territoires. L'affrontement s'achève par la victoire des Russes (traité de Turkmanchay, 1828), consacrée par des gains territoriaux et la confirmation de leurs droits exclusifs à naviguer dans la Caspienne. Les combats d'hier éclairent les enjeux d'aujourd'hui. Après l'affrontement avec les Russes vient celui avec les Britanniques. Au printemps 1839, appuyés par les Sikhs d'un Penjab encore indépendant, les Britanniques occupent Kaboul et une grande partie de l'Afghanistan ; ils placent sur le trône un homme à leur main. Ayant essuyé de lourdes pertes, ils sont obligés d'évacuer Kaboul en 1842 et renoncent à intégrer l'Afghanistan dans le Raj ; la compétition entre Russes et Britanniques pour la domination de l'Asie centrale ralentit

PAGE PRÉCÉDENTE
Premières collections afghanes installées à Kot-e Batcha
(détail de l'ill. 14)

ill. 1
Joseph Hackin, Ria Hackin et Jean Carl à Kaboul
Photographie DAFA, entre 1929 et 1940
Paris, MNAAG, archives photographiques, 8881-41

1 En référence bien sûr au roman de Rudyard Kipling qui se déroule au Kafiristan.

2 L'expression apparaît sous la plume d'Arthur Conolly, agent du Renseignement britannique ; elle est reprise et diffusée par Rudyard Kipling dans son roman *Kim* (1901).

et l'Afghanistan connaît ainsi un temps de répit. Les Britanniques, s'ils sont inactifs en Afghanistan même, étendent leur emprise sur Peshawar, tandis que les Russes s'imposent dans plusieurs khanats d'Asie centrale (Boukhara, 1869 ; Khiva, 1873 ; Kokand, 1876).

Dans la « petite île », l'arrivée au pouvoir de Benjamin Disraeli (1874) s'accompagne d'une politique plus agressive. Le refus d'accorder un accès à Kaboul à quelque Britannique que ce soit provoque la deuxième guerre anglo-afghane de 1878-1879. Les Anglais sont victorieux mais le massacre par une foule vindicative de l'ambassade britannique envoyée à Kaboul relance la guerre. Kaboul est occupé puis évacué tandis qu'un homme fort prend le pouvoir et tente de moderniser le pays. Les frontières nord-ouest sont peu à peu délimitées avec les Russes et l'Afghanistan acquiert son rôle d'État-tampon, que confirment la fin de la deuxième guerre anglo-afghane et la signature en 1907 d'une convention anglo-russe.

Au tournant du XXe siècle émerge peu à peu un nationalisme afghan réclamant une pleine souveraineté. La Première Guerre mondiale, la victoire des Alliés et les traités de Sèvres et de Versailles rebattent profondément les cartes pour tout le Proche et le Moyen-Orient. Les Anglais échouent à prendre Constantinople, capitale d'un État aux sympathies allemandes. En 1916, les accords Sykes-Picot prévoient de diviser le Proche-Orient entre France, Angleterre et Russie. En octobre 1917, la déclaration Balfour entérine la création d'un foyer de peuplement juif en Palestine alors que dans l'empire russe survient la révolution qui va renverser le régime tsariste. L'empire ottoman vacille également. Dès 1908 les « Jeunes Turcs » remettent en vigueur la Constitution libérale de 1876, d'abord rédigée en français, et souche de la future République turque. Toutefois son sol est aussi imbibé du sang du génocide arménien de 1915. C'est sous ce double signe que sont annoncées en 1924 l'abolition du califat et la naissance de la République turque, dont Mustafa Kemal est le premier dirigeant. La Turquie, ancien « homme malade de l'Europe », au lendemain des luttes d'indépendance – le terme employé pour ne pas parler de décolonisation – de ses anciens dominés, est réduite au rang de puissance secondaire. Elle fait le choix le plus dramatique de son histoire moderne : se constituer par soustraction des communautés – ethnies, *millet* – qui n'entrent pas dans son récit national et panturc. Après les Arméniens, les Grecs sont expulsés d'Asie Mineure (1921-1922), ce qui provoque la « Grande Catastrophe », exode de millions de personnes. Pourtant la Turquie kémaliste, qui interdit le port du fez, laïcise le pays et abandonne l'alphabet arabe au profit de l'alphabet latin, s'engage dans une marche forcée vers la modernité à l'occidentale. Cela sera une source d'inspiration profonde pour le jeune État afghan. Certains des pays dominés par l'ancien empire ottoman s'émancipent tandis que d'autres passent sous la tutelle occidentale : en 1920 le Levant est placé sous mandat français alors que le mandat britannique s'étend sur la Palestine et l'Irak. Le général Gouraud entre dans Damas après avoir vaincu la résistance d'al-'Azmeh. En Égypte, en 1922, est créé le Wafd, parti libéral, et l'Égypte reçoit une large autonomie interne ; elle sera indépendante en 1936.

Le royaume d'Afghanistan se tient, durant la Première Guerre mondiale, à distance des sollicitations allemandes relayées par la Turquie, et réaffirme sa neutralité.

En 1922, à la demande du nouveau roi d'Afghanistan, Amanullah, est créée la DAFA ; la même année disparaît l'un des inspirateurs du souverain, le Turc Enver Pacha, membre du triumvirat du CUP (Comité Union et Progrès) qui dirigea la Turquie pendant la Première Guerre mondiale. Il était le promoteur du « touranisme » ou panturquisme et du mythe de l'*Ergènékon* (la mythique montagne originelle des Turcs). En Iran, resté neutre durant la Première Guerre mondiale, on retrouve des mouvements similaires et un semblable éveil d'un nationalisme à forte coloration ethnique, germe des déchirures et des guerres futures. Dès 1906, la dynastie turcophone et finissante des Qadjars fait siéger la première assemblée constituante en Perse[3]. Un coup d'État destitue Ahmad Shah, le dernier souverain Qadjar (31 octobre 1921), et ouvre la voie à l'établissement de la nouvelle dynastie nationaliste des Pahlavis. En décembre 1925, l'arrivée au pouvoir de Reza Shah Pahlavi, souverain persanophone, lance la modernisation rapide du pays ; ses maîtres mots sont la lutte contre le clanisme, le féodalisme et le poids des religieux dans le pays.

Si, à l'ouest de l'Afghanistan, de nouveaux États émergent, parfois douloureusement, des décombres de l'empire ottoman, la recomposition ne se fait pas de même à l'est. Dans le monde indien, sous domination britannique, commence cependant à germer ce qui mènera à l'indépendance indienne. De sombres prémices sont déjà à l'œuvre avec le massacre d'Amritsar en 1919. Plusieurs meurtres d'Européens, perpétrés par des tenants du mouvement de Gandhi, suscitent en réaction une fusillade massive qui fera plusieurs centaines de morts parmi les Indiens, exacerbant les antagonismes entre autochtones et Britanniques. À sa suite, en 1920, Gandhi lance le « mouvement de non-coopération ».

Dix ans plus tard, la marche vers l'indépendance s'accélère avec le lancement par Gandhi de la « marche du sel », contre le monopole d'État des Britanniques sur cette denrée. Cette révolte de la « gabelle », menée de façon non violente, marque les esprits dans le monde entier. Le « fakir séditieux » amène les Britanniques à la table des négociations. Son projet non violent vise désormais l'indépendance d'une nation à laquelle toutes les composantes religieuses de l'Inde participeraient. La modernité de Gandhi n'est pas éloignée de celle de la plupart des dirigeants des États émergeant du tissu d'un Proche-Orient largement islamique, de la Turquie à l'Afghanistan. Les Soviets alimentent ce mouvement de façon déterminante. À Bakou, en Azerbaïdjan, en 1920, ils réunissent un congrès afin d'organiser les forces anti-impérialistes dans les pays coloniaux ou semi-coloniaux (Turquie, Iran, Chine). La plupart des délégués y sont musulmans. Cette ébullition amènera à la création, dans les années 1930 en Inde, de la Ligue musulmane par le poète Muhammad Iqbal (1877-1938), père de l'idée pakistanaise. La Seconde Guerre mondiale offre quelques années de sursis aux Britanniques sur la question indienne.

C'est dans ce contexte d'une modernité orientale en travail, traversée de forces contraires, qu'il faut comprendre le geste fort que représente de la part du roi Amanullah l'appel à la France pour créer la « Délégation archéologique française en Afghanistan ». Le roi était monté sur le trône à la fin du mois de février 1919, quelques jours après l'assassinat de son père, monarque réformateur. Il paie le prix fort, dont l'abandon des territoires au-delà de la ligne Durand[4], mais obtient sa souveraineté. La situation afghane demeure précaire, les différents groupes ethniques et tribaux fragilisant les efforts de modernisation. Jouant habilement des messages passés dans la presse française, qui le dépeignent comme le souverain d'Orient le plus épris de progrès[5], il cherche à obtenir l'appui français dans plusieurs domaines. Amanullah approche ainsi Paris pour l'organisation de l'enseignement supérieur, la direction d'un collège franco-afghan et l'organisation de l'archéologie de son pays : « Dites de ma part à vos compatriotes qu'entre les amitiés que je compte en Europe,

---

3 C'est en 1935 que Reza Shah Pahlavi adopte la dénomination ancienne d'Iran remplaçant celle de Perse pour son pays. Elle est la seule présente dans l'œuvre fondatrice de la littérature de langue persane, le *Livre des Rois* (*Shahnameh*) du poète Ferdousi, au début du XIe siècle.

4 La ligne frontière, au tracé réputé très artificiel, entre l'Afghanistan et le Raj britannique, s'étendant sur 2 430 kilomètres et fixée par accord depuis 1893.

5 Article d'Ismet Bey, 7 mai 1923, *L'Excelsior*.

ill. 2
Voyage à Paris des souverains d'Afghanistan : le roi Amanullah Khan et la reine Soraya allant se recueillir sur la tombe du Soldat inconnu, 27 janvier 1928
Paris, Bibliothèque nationale de France, EI-13 (2824)

aucune ne m'est aussi chère que celle de la France, aucune n'inspire à mon peuple plus de confiance et de fierté[6]. »

Dans une lettre du 3 juin 1922 à l'indianiste Émile Sénard, Alfred Foucher rapporte : « Il me paraît certain que notre éloignement géographique et la bienheureuse absence de tout intérêt politique dans ce pays nous valent la confiance générale et nous permettent de jouer ici le même rôle éducateur que nous remplissions déjà en Perse et dont vous savez que l'archéologie n'est pas absente[7]. » Une *Convention concernant les relations diplomatiques et commerciales* est signée le 28 avril 1922, puis, le 9 septembre 1922 la *Convention concernant la concession du privilège des fouilles archéologiques en Afghanistan* dont nous célébrons en 2022 le centième anniversaire. La légation française est établie à Kaboul ; elle abrite la DAFA. À partir de 1925, l'orientaliste Alfred Foucher y est secondé par Jules Barthoux. Sur le site de Hadda, où il avait effectué des sondages et où Barthoux a repris les fouilles en 1925, les Français obtiennent des résultats salués par la presse et qui sont bientôt une des fiertés du musée Guimet de l'époque.

C'est dans cette atmosphère d'intense amitié franco-afghane que se prépare, en 1927, le voyage en Europe que le roi Amanullah et son épouse Soraya effectuent après huit ans de réformes ; il les mènera en France mais aussi au Vatican, ce qui est mal perçu dans leur pays et bien vite taxé d'apostasie – mot lourd car c'est un crime passible de mort aux termes de la charia. Achevant sa tournée internationale

6 Koetschet, 2021.
7 *Ibid.*, p. 41. La France a le monopole des fouilles en Iran depuis la signature en 1897 de l'accord créant la Délégation archéologique française en Perse.

par Moscou, Ankara et Téhéran, le souverain inquiète dans les pays musulmans en cours de réformes par sa fougue moderniste qui paraît trop avancée, influant profondément sur les usages de son pays. Il mise sur le progrès (Kaboul se dote d'un aérodrome à Sherpur, et en 1928 un premier vol relie la France à Kaboul) et l'éducation, dont celle des filles, sujet d'une triste actualité alors que le régime des talibans vient à nouveau de l'interdire. Il poursuit les travaux de son père qui a fait planifier le nouveau quartier et le palais de Darulaman par des architectes allemands. L'architecte et archéologue français André Godard, employé à la DAFA puis à la DAFI[8], en reprend les plans.

La modernisation se concrétise par des mesures qui s'inspirent de celles qui ont été prises par son homologue en Iran, avec plus de rapidité sans doute encore et une adhésion très faible de la population. Le roi n'entend pas les grondements qui montent de son pays à partir de la fin de l'année 1928. Plusieurs maladresses conduisent à l'insurrection d'un personnage surnommé péjorativement le « fils du porteur d'eau » (Batcha-e Saqao) ; Habibullah Kalakani, bien qu'ayant fait partie de la garde royale, condamne les réformes menées par le souverain. Lors de l'offensive décisive qu'il lance, à l'hiver 1928, il suscite l'effroi et la fuite du roi et de ses proches vers l'Italie. Le port du voile et celui du turban sont rétablis, l'obligation d'éducation des filles, les enseignements occidentaux et l'impôt appliqué aux musulmans – contraire à la charia – sont abolis. Mais les séparations ethniques, trait de découpe essentiel du pays, font leur ouvrage : Habibullah Kalakani ne peut se maintenir. Nader Shah, un ancien ministre d'Amanullah, mobilise les tribus, y compris les Pachtouns[9], du côté indien de la ligne Durand, renverse Batcha-e Saqao et s'empare de Kaboul en octobre 1929. L'épisode aura été de courte durée mais l'insurrection provoquée par les réformes apparaît aujourd'hui comme la matrice d'un mouvement réactionnaire profond qui viendra régulièrement travailler l'Afghanistan. La seconde trace profonde laissée par cette période est l'abaissement de l'État par son usage des dissensions tribales.

La légation française, ouverte en 1923, à laquelle la DAFA est étroitement liée, est touchée par cet épisode. Ses personnels sont évacués. En 1929, la Délégation revient à Kaboul ; c'est son directeur, Joseph Hackin (1886-1941), en même temps directeur du musée Guimet, qui assure discrètement la tenue de l'ambassade. Il est à nouveau en Afghanistan en 1931, prenant part à la Croisière Citroën en Haute-Asie (dite « Croisière jaune »). Il reprendra la direction de la DAFA en 1932. Ainsi, outre l'apport à ses collections et à sa documentation, le lien est d'esprit et de cœur entre la DAFA et le musée de la place d'Iéna. En 1936-1937, Joseph Hackin est à nouveau à Kaboul avec son épouse Marie ; la mise au jour du trésor de Begram leur revient. Sa femme Marie/Ria en est le principal artisan.

Tous deux passionnés par le pays, ils s'y trouvent encore lorsqu'ils se rallient, dès le 6 juillet 1940, au général de Gaulle[10]. Roman Ghirshman, qui dirige la DAFA pendant la guerre, arrivera à dissimuler quelque temps son ralliement à la Résistance avant d'être mis à pied pour cette raison par le gouvernement de Vichy.

Les années les plus glorieuses de la DAFA sont, à n'en pas douter, celles qui vont de la fondation à l'immédiat après-guerre. Elles auront vu des découvertes prestigieuses, l'inauguration au musée Guimet de la salle de Hadda par le président Gaston Doumergue (1929), la recherche infatigable et longtemps déçue du « maillon grec » manquant en Bactriane, la découverte inouïe de Begram, la révélation de Bamiyan sous « le ciel d'Islam », dans ce

8 La Délégation archéologique française en Iran est issue de l'accord sur le monopole des fouilles en Perse concédé en 1897 par les souverains Qadjars.
9 Le « s » est de convention en français puisque la forme locale est *pachto* au singulier et *pachtoun* au pluriel. Ils sont connus en milieu indien sous le nom de *pathan*.
10 Ils mourront tous deux en mission, dans les rangs de la France Libre, le 24 février 1941, et seront faits Compagnons de l'Ordre de la Libération.

ill. 3
Visite de l'exposition « Afghanistan, les trésors retrouvés » au musée national des arts asiatiques – Guimet, par les présidents Hamid Karzai et Jacques Chirac, mars 2007

ill. 4
Le Musée national d'Afghanistan, à Kaboul, après les incendies de 1994
Photographie Pierre Cambon, 1995
Paris, MNAAG, archives photographiques

« pays du bleu », une ethnographie inconnue, une palpable émotion à la rencontre des populations sous l'œil photographique de Ria Hackin, l'impression forte de paysages qui comptent parmi les plus somptueux du monde.

La Seconde Guerre mondiale ouvre un autre temps de bouleversements profonds ; en 1941 l'Iran est envahi par les Alliés et Reza Shah, soupçonné de sympathies pro-hitlériennes, exilé, mais la royauté iranienne survivra plus de trois décennies. Peu à peu les mandats français et britannique au Levant ont pris fin, l'État d'Israël est créé en 1948 tandis que, au terme de bien des convulsions, les indépendances défont l'empire des Indes, le Raj ; c'est le temps de la sanglante partition de l'Inde et du Pakistan. Enfin s'installe la dureté de l'opposition des blocs, et les non-alignés émergent à la conférence de Bandung (1955)… Bref, un autre état du monde dont on sait les répercussions en Afghanistan et ailleurs, comme une sempiternelle et insondable partie de dominos. En 1979, la révolution iranienne renverse la monarchie et installe une république islamique, alors même que de l'autre côté de la frontière l'intervention soviétique va de pair avec le déclenchement du jihad afghan.

Il n'en reste pas moins que l'aventure archéologique de la France en Afghanistan, malgré, de fait, la fin du partage de fouilles qui explique que rien du site d'Aï Khanoum ne soit malheureusement exposé place d'Iéna, demeure une aventure tout à la fois intellectuelle, sentimentale et littéraire comme il en existe peu entre deux pays et au cœur même d'un musée. En juin 1965, le roi Zaher Shah effectuait une visite officielle en France ; il y était reçu en grande pompe par le général de Gaulle. Élève du lycée Janson de Sailly, il était l'incarnation de la vieille amitié des élites afghanes pour la France. Elles demeurent très francophones. La réciproque de la fascination fut vraie : en 1968 le Premier ministre Georges Pompidou fit un déplacement officiel en Afghanistan. Visite du musée, pose de la première pierre du nouveau lycée Esteqlal de Kaboul, visite à Bamiyan et Aï Khanoum étaient au menu. Il fut reçu comme un chef d'État mais se vit contraint de hâter son retour en raison des événements de mai 1968 à Paris.

Pays inaccessible, l'Afghanistan a constitué un horizon littéraire et historique fantasmé, un désert des Tartares de nos pensées, dont l'immense succès des expositions de 2002 et 2007, présentées au musée national des arts asiatiques, témoigne intensément. La mémoire en fut-elle « interdite », ainsi que le musée proposait de le dire dans le titre de l'exposition de 2007, qui fut censuré ? Les visiteurs de longue date du musée se souviennent de leur palpable émotion en découvrant l'exposition « Afghanistan, les trésors retrouvés » qui, pour la première fois, montrait les objets d'or de Tillia Tepe, demeurés cachés durant tout le temps de la guerre. La guerre, presque un autre état de l'Afghanistan ? Les recettes de l'exposition allèrent à la reconstruction du musée de Kaboul.

Sans doute ces visiteurs étaient-ils les mêmes que ceux qu'avait bouleversés l'image des destructions massives au musée de Kaboul. Et comment oublier l'effondrement des

bouddhas de Bamiyan le 11 mars 2001, six mois avant le 11 septembre, image prémonitoire d'un monde sombre ? Mais la France ne renonçait pas : en 2004 encore, le ministre de la Culture, le seul en dehors de Malraux mais qui n'était pas encore ministre en ce temps-là, fit un déplacement dans la capitale afghane pour l'inauguration du cinéma Ariana[11].

Non, la France depuis cent ans n'a pas renoncé à croire que quelque chose est possible avec l'Afghanistan, que cette histoire, parfois si difficile, il nous incombe de la protéger et de la transmettre même dans notre extraterritorialité parisienne ; qu'un autre chapitre, un jour, à nouveau sera écrit. Ensemble.

---

11 Ce ministre était Renaud Donnedieu de Vabres.

ill. 5
Grotte sanctuaire de Bamiyan détruite par les talibans
Photographie Pascal Convert, 2016
Épreuve au platine sur papier tirée en 2019
Paris, MNAAG, achat (2019), AP 22078

La DAFA comme cœur battant de la relation entre la France et l'Afghanistan

Régis Koetschet

L'établissement de relations diplomatiques entre la France et l'Afghanistan et la création de la DAFA (Délégation archéologique française en Afghanistan) sont, en 1922, presque concomitants. Le 28 avril, Raymond Poincaré, président du Conseil et ministre des Affaires étrangères, signe à Paris avec Mohammed Wali Khan, ambassadeur de l'Émir, une *Convention concernant les relations diplomatiques et commerciales*. Le 9 septembre, Alfred Foucher paraphe à Kaboul une *Convention concernant la concession du privilège des fouilles en Afghanistan*, point d'aboutissement d'une démarche lancée plus d'un an auparavant par les autorités afghanes et faisant de la culture le vecteur de ce rapprochement bilatéral. Maurice Fouchet ouvre, à l'été 1923, la légation de France à Kaboul.

Le roi Amanullah d'Afghanistan et l'indianiste Alfred Foucher – le politique et le scientifique – apparaissent bien comme les pères fondateurs d'une relation d'amitié et d'une aventure archéologique désormais séculaires. Amanullah veut ouvrir son pays au monde et à la modernité. Il se fait, par exemple, traduire les œuvres de Jules Verne et en encourage la lecture, comme une initiation au progrès. L'éducation et le patrimoine doivent constituer, selon lui, les pierres fondatrices d'un ambitieux projet national.

À la mi-mars 1922, Alfred Foucher et son épouse Ena pénètrent en Afghanistan par l'ouest. Une escorte de cinquante hommes et quatre-vingt-douze chevaux les conduit à

Kaboul par la route centrale, la plus courte mais la plus montagneuse. On les imagine, dans ce décor somptueux, l'esprit chargé de rêves : planter le drapeau tricolore en cette terre largement inconnue, découvrir le chaînon grec manquant en Bactriane, accompagner l'essor modernisateur d'un souverain dans une démarche qui articule, comme en Perse, culture et archéologie. Car d'Arthur de Gobineau à Pierre Loti, hier, d'André Malraux à Joseph Kessel, demain, ces confins tartares restent gorgés du tragique de l'histoire et brûlent des flamboyances de l'imaginaire.

Les dures réalités de la géopolitique et du temps long des sociétés ne vont pas tarder à se manifester, emportant un Amanullah trop impatient dans ses réformes. La DAFA, en revanche, tient bon et Alfred Foucher, s'il s'inquiète, dans sa correspondance, des moyens insuffisants mis en place par Paris, se plaît à relever « que [leur] éloignement géographique et la bienheureuse absence de tout intérêt politique dans ce pays [leur] valent la confiance générale[1] ». Cette « clé » de la relation franco-afghane perdurera un siècle, portée par des hommes et des femmes de courage – des archéologues aux *french doctors* – que cette terre, dans sa bouleversante beauté, ne cessera de fasciner.

Le 13 janvier 2001, le président Jacques Chirac inaugure le musée national des arts asiatiques – Guimet au terme de sa brillante et inspirante rénovation. L'Afghanistan vient tout naturellement dans son propos, notamment le site de Hadda. « J'ai rêvé à la prodigieuse rencontre des soldats perdus d'Alexandre avec les cavaliers des steppes et les ascètes de l'Inde », dit-il, avant de rendre hommage aux pionniers, Alfred Foucher, Joseph Hackin, Jules Barthoux. « Quelle fantastique épopée que celle de la Délégation archéologique française en Afghanistan ! » Les mots sont vibrants mais appropriés tant sont intenses les parcours de ces « géants », en quête d'avancées scientifiques, d'affirmation nationale et d'aventures intérieures. La relation entre la DAFA et la légation est harmonieuse. Hackin en assure même, en 1929, la gestion informelle pendant l'épisode dit du « fils du porteur d'eau » durant lequel tout le personnel diplomatique est rapatrié.

Cette vision diplomatique et culturelle, partagée par la légation et la DAFA, est relevée par les quelques observateurs de passage : « La France a répondu à cet appel et a fait confiance à l'Afghanistan. Fidèle à la mission civilisatrice qu'elle a assumée dans le monde, et qu'elle ne reniera jamais, elle a ouvert les portes de ses écoles aux jeunes Afghans, elle est allée leur porter jusqu'au milieu de l'Asie l'évangile de la science et de la liberté », note Maurice Pernot, en 1927, dans *En Asie musulmane*[2]. Même tonalité avec la grande journaliste Andrée Viollis, présente à Kaboul en 1929. « L'entente archéologique de la France et de l'Afghanistan a donc non seulement enrichi les musées des deux pays, mais ajouté des joyaux inconnus au patrimoine artistique du monde […]. La France, nous le répétons, a donc dans ce domaine moral et spirituel qui est plus proprement le sien, un grand rôle à jouer, à poursuivre », écrit-elle dans *Tourmente sur l'Afghanistan*[3].

La Seconde Guerre mondiale déclarée, la DAFA se tourne sans trembler vers la France Libre. Joseph et Ria Hackin rallient Londres sur-le-champ avec Jean Carl, l'architecte de la mission. Leur engagement les conduira au sacrifice. Alors que le couple Hackin part vers le Pacifique pour une mission d'animation des comités France Libre, leur bateau est torpillé, le 24 février 1941, par un sous-marin allemand. Ils périssent en mer. Ils seront élevés à titre posthume parmi les premiers Compagnons de la Libération. Daniel Schlumberger animera, quant à lui, à Brazzaville, les émissions de la France Libre.

ill. 6
Le roi Amanullah Khan
Afghanistan, Kaboul, entre 1919 et 1929
Photographie, H. 13,9 ; L. 8,9 cm
Paris, MNAAG, archives photographiques

1 Brouillon de courrier d'Alfred Foucher à l'attention d'Émile Senart, en date du 5 juin 1922.
2 Pernot, 1927.
3 Viollis, 1930.

Comme si l'Afghanistan prédisposait à l'implication dans les combats du monde – avec sa géographie d'État-tampon entre les grands empires et de « centre du monde habité » tel que le situera l'empereur Babur, fondateur de la dynastie moghole, ainsi qu'avec ses populations, volontiers rebelles, gardiennes de ce *Royaume de l'insolence*, pour reprendre le titre du livre de Michael Barry.

Le quotidien de la DAFA n'est pas un conte de fées. Le travail de terrain est physiquement épuisant, l'environnement bureaucratique exigeant. Mais les fouilles sont gratifiantes. Certaines resteront mythiques, concourant à asseoir et afficher la réputation de la DAFA.

Sur les traces du Bouddha, de René Grousset, dessine une inspirante « feuille de route ». À Hadda, la brillante métamorphose du Gandhara invite à des évocations « gothico-bouddhiques ». La riche moisson difficilement rassemblée par Barthoux, du fait de certaines révoltes locales, fera l'objet de mises en dépôt dans plusieurs musées du monde, confortant l'audience internationale de la DAFA.

À Begram, un extraordinaire assemblage d'objets décoratifs en ivoire sculpté, de laques chinois, de verreries gréco-romaines, de vaisselle de bronze ou de pierre, de médaillons de plâtre, est découvert en 1937. « Le meilleur des productions des artisans gréco-romains, indiens et chinois semble avoir été regroupé en ce lieu[4] », écrit Philippe Marquis, actuel directeur de la DAFA. Pour Hackin, ce « trésor » qui garde ses mystères confirme la vocation du « carrefour afghan » sur les grandes routes de civilisation de l'Antiquité.

Enfin Aï Khanoum, la ville gréco-bactrienne, serrée entre les bras réunis en confluent de l'antique Oxus – désormais Amou-Daria – marquant la frontière avec l'Union soviétique et son affluent afghan, la Kokcha. Son étude constitue une avancée majeure dans la connaissance de l'hellénisme non méditerranéen. La DAFA saura attirer sur ce site les plus grands spécialistes des études kouchanes.

La Seconde Guerre mondiale a renouvelé la donne. L'exclusivité dont bénéficiait la DAFA n'a plus lieu d'être. Daniel Schlumberger, son nouveau directeur, inscrit son développement dans un cadre plus large, pluridisciplinaire et ouvert à des coopérations extérieures. La DAFA contribue à tisser un réseau d'amitiés et de fidélités, venues de tous les horizons, à l'image du couple de chercheurs américains Louis et Nancy Dupree.

La France reconnaît, en 1964, la Chine populaire, ouvrant un nouveau champ pour sa diplomatie. C'est à cette aune qu'il faut apprécier l'accueil exceptionnel réservé tant en France, au printemps 1965, au roi Zaher Shah, qu'en Afghanistan, en mai 1968, au Premier ministre Georges Pompidou. La DAFA occupe tout naturellement une place de choix dans ces déplacements. Et l'on gardera longtemps en mémoire les mots du général de Gaulle accueillant à l'Élysée le souverain afghan : « Bien entendu c'est par la culture que le mouvement a commencé. Car tout procède de l'esprit. Ainsi sous la conduite d'Alfred Foucher, encouragé par le gouvernement de Kaboul, un groupe de savants archéologues de chez nous fut tout de suite attiré par une contrée remplie de ces vestiges et monuments par lesquels de grands empires passagers ont, tour à tour, attesté leurs ambitions, fondations, illusions, tandis que les Afghans eux-mêmes y imprimaient leur propre marque. »

Mais la scène politique afghane se fissure. La séquence enchantée touche à sa fin. Quand il ferme au mois de novembre 1978, au terme d'une saison de travail, la fouille d'Aï Khanoum, Paul Bernard, directeur de la DAFA de 1965 à 1980, ne se doute pas que se clôt pour toujours l'œuvre d'une vie.

ill. 7
Le couple Foucher (à droite)
Afghanistan, Kaboul ou Balkh
Photographie DAFA, 1922-1925
Paris, MNAAG, archives photographiques

4 Marquis, 2011.

ill. 8
Partie de volleyball devant la statue du bouddha
Afghanistan, Bamiyan
Photographie
Steve McCurry, 1992

ill. 9
Enfants jouant sur un van abandonné
Afghanistan, Bamiyan
Photographie
Steve McCurry, 2003

Fermée en 1982, la DAFA est rouverte vingt ans plus tard. Deux décennies qui, en Afghanistan, auront vu l'invasion soviétique, la guerre civile des moudjahidines, le régime des talibans et la préparation des attaques du 11 septembre sur les tours jumelles de New York – enfin, en réponse, l'engagement militaire de la communauté internationale sous la bannière de l'OTAN et la volonté de restaurer un État et ses institutions. Deux décennies marquées, s'agissant du patrimoine, par les bombardements, les destructions et les pillages, faisant même des fouilles archéologiques la cible d'actions terroristes. La diplomatie française s'attache à dénoncer ces dérives. Le 1er février 2022, le président Emmanuel Macron a salué l'action d'ALIPH (Alliance internationale pour la protection du patrimoine dans les zones en conflit), citant les actions entreprises en Afghanistan avec la Fondation Aga Khan pour la culture.

Dès la reprise de ses activités, en 2002, la DAFA, sous l'autorité de son directeur, Roland Besenval, aura à cœur de redonner à l'Afghanistan la place emblématique qui lui revient. Deux expositions sont organisées à cet effet par le musée Guimet : « Afghanistan, une histoire millénaire », dès le printemps 2002, et « Afghanistan, les trésors retrouvés », de décembre 2006 à avril 2007. Cette deuxième exposition commence à Paris, en hommage à l'action de la DAFA, une longue itinérance dans les principaux musées du monde.

En Afghanistan, la DAFA se remet au travail dans un contexte compliqué par l'insécurité. On citera notamment les programmes scientifiques dans la province de Balkh, une opération d'archéologie préventive à Mes Aynak et un souci de rapprochement avec l'Institut national d'archéologie d'Afghanistan. Une sorte de « réinvention » rendue également nécessaire par les évolutions technologiques, comme en témoigne l'accord passé avec Iconem, *start-up* innovante spécialisée en numérisation 3D.

Alors que la nuit talibane est tombée sur Kaboul le 15 août 2021, l'Afghanistan paraît une nouvelle fois à la croisée des chemins. Le patrimoine archéologique est et sera un indicateur de la place réservée à l'histoire dans ses racines multiples, à la connaissance et à la recherche scientifique dans ses exigences, au partage et à l'accès de toutes et tous dans les musées et lieux de culture. On se rappelle les dramatiques errements du passé qui ont culminé, si l'on ose dire, avec la destruction des bouddhas de Bamiyan, blessant à jamais l'un des lieux de mémoire et de beauté du monde. « Ce que l'on fait aux images, on le fait aux hommes[5]. » Cette menace demeure prégnante.

Le respect du patrimoine archéologique peut aussi contribuer à une meilleure appréciation de la place de l'Afghanistan comme carrefour des civilisations et répondre à l'attente d'une jeunesse soucieuse de modernité autant que d'identité. Les chemins de la diplomatie et de l'archéologie pourraient se croiser à nouveau, comme ils l'ont fait il y a un siècle.

L'exposition « Afghanistan, ombres et légendes » est un hommage à une longue et belle histoire dont la transmission aura été l'un des maîtres mots. Elle n'allait pas de soi dans le contexte actuel, alors que violence et obscurantisme affleurent ici ou là, mais elle répond au « grand message » qu'appelle, « par les temps de désespoir, de solitude et de ténèbres », le poète et philosophe afghan Bahoudine Madjrouh dans son œuvre majeure, *Ego Monstre 2 Le Rire des Amants*. Cette exposition est aussi un témoignage de solidarité et de confiance envers les populations afghanes, partenaires de la DAFA depuis le premier jour.

« Des montagnes maintenant nous séparent, seuls les oiseaux seront nos messagers, avec leurs chants pour présage », dit un *landay*, court poème des femmes pachtounes.

---

5 Expression d'Olivier Christin, citée dans Makariou, 2021.

La création de la DAFA

Nicolas Engel

L'indépendance de l'Afghanistan est proclamée par le roi Amanullah le 8 août 1919 à la suite de la signature avec la Grande-Bretagne du traité de Rawalpindi, qui reconnaît l'autonomie de l'Afghanistan en matière de politique étrangère. Des traités d'amitié sont signés en 1920 et 1921 avec l'URSS, la Turquie et la Perse. La France, sans l'annoncer officiellement, reconnaît l'indépendance afghane en avril 1921. Un second traité afghano-britannique, le 21 novembre 1921, officialise avec la Grande-Bretagne cette indépendance afghane.

L'Afghanistan des années 1920 se veut délibérément tourné vers le progrès moderne tel que les Européens le conçoivent. Telle est du moins la volonté du roi Amanullah, dont la position est saluée en France[1].

Le 9 septembre 1922 est signée entre la France et l'Afghanistan, à la demande du roi Amanullah, une convention établissant la DAFA (Délégation archéologique française en Afghanistan). Plusieurs raisons expliquent le choix de la France. Dans un climat de méfiance vis-à-vis des Britanniques et de leur politique étrangère et coloniale, elle bénéficie d'un prestige lié à son soutien, dans la question turque, au mouvement nationaliste de Mustafa Kemal. En termes d'éducation, de nombreux cadres modernistes musulmans fréquentent les lycées français ouverts au Caire et à Istanbul. En termes de culture et de patrimoine, les musées de Beyrouth, de Damas et d'Alep, en cours de création à l'initiative de la France, ajoutent à la solide réputation des travaux archéologiques français en Égypte, au Liban et en Syrie. Enfin, la France est présente dans la Perse voisine, où elle a depuis 1896 le monopole des fouilles. La convention franco-afghane est d'ailleurs inspirée pour une large part de l'exemple franco-perse.

Selon le texte de la convention, le gouvernement afghan délègue pour trente ans à la France le droit exclusif de prospecter et de fouiller sur l'ensemble du territoire afghan. Ce monopole est renouvelable par commun accord. Toutes les dépenses sont à la charge de la France (art. 3). Des Afghans aident à la logistique, veillent à la sécurité des Français et surveillent avec eux les travaux des fouilles (art. 4). Photographies, dessins et moulages par les Français de tout objet découvert sont autorisés (art. 5). À l'exception des objets en or et en argent, ou des bijoux, qui reviennent de droit à l'Afghanistan mais que la France peut acquérir si les autorités afghanes les mettent en vente (art. 6), les trouvailles résultant des fouilles sont partagées entre les deux parties (art. 7). Une clause de ce dernier article, fréquemment invoquée plus tard pour restreindre la part française, prévoit toutefois que les objets uniques en raison de leur forme ou de leur date, de même que ceux qui forment un ensemble unique, restent la propriété du gouvernement afghan. Nuançant le monopole français, la convention reconnaît toutefois au gouvernement afghan le droit de concéder à d'autres savants étrangers la permission de fouiller des sites où la DAFA ne travaille pas ou n'a pas l'intention de travailler avant cinq ans, après concertation avec celle-ci (art. 11) ; cette clause ne sera jamais appliquée durant les trente années de cette première convention. Rien n'est dit de l'entretien des sites archéologiques fouillés, dont la responsabilité est *de facto* laissée à la charge des autorités afghanes.

---

1 Onze articles sont ainsi publiés dans *L'Illustration* entre 1923 et 1928, la photographie du roi Amanullah apparaissant quatre fois en couverture.

L'histoire des collections du MNAAG

Pierre Cambon

L'histoire des collections d'Afghanistan au musée national des arts asiatiques – Guimet s'écrit d'abord à la frontière indo-afghane, puisque la région de Peshawar relève longtemps du royaume afghan. C'est là que se rend Mountstuart Elphinstone (1779-1859) en 1808, en mission pour le compte de la Compagnie britannique des Indes orientales afin de tenter de dissuader les autorités de Kaboul d'embrasser la cause russe. Ce n'est qu'en 1834 que la ville est annexée au Pendjab sur ordre du maharajah Ranjit Singh (r. 1801-1839) par le général Claude-Auguste Court (1793-1880) alors à son service, à la tête du « bataillon français », le corps qu'il a formé à la demande du souverain sikh sur le modèle européen, comme il est d'usage à l'époque dans cet Orient lointain, à commencer par le royaume persan. De ce prologue témoigne à la bibliothèque du musée le manuscrit du général Court sur son séjour au Pendjab – que Joseph Hackin (1886-1941) semble avoir emprunté au comte Philippon –, avec le lot de miniatures qui devait l'illustrer, attribuées à Imam Bakhsh, un peintre de Lahore avec qui il était lié. Le général Court le nomme explicitement quand il l'envoie en repérage dans le Kafiristan afghan, encore inexploré, qui suscite la curiosité des savants de Paris. De cette mission, le peintre rapporte le portrait d'un chef kafir avec sa famille, que Joseph Hackin publie en 1928[1].

Dans la série des miniatures il existe aussi un dessin au trait du « masque Court », remis en son nom en 1835 au roi Louis-Philippe par le général Jean-François Allard (1785-1839), lors du passage de celui-ci à Paris. Ce masque en bronze de Shiva, daté du Ve-VIe siècle selon Gérard Fussman, se trouve aujourd'hui au cabinet des Médailles de la Bibliothèque nationale de France, et renvoie à des fouilles exécutées dans la région par le général Court, quand celui-ci en assure le gouvernement militaire. Il s'agit là des premières fouilles européennes dans la zone, bien avant celles de la période anglaise, au temps de Sir Alexander Cunningham (1814-1893).

Mais il faut attendre 1896 pour voir Alfred Foucher (1865-1952) visiter la région et se passionner pour les reliefs en schiste de l'art du Gandhara, qu'il veut « gréco-bouddhique », s'opposant par là même à la vision de Londres qui fait le parallèle avec le Bas-Empire romain. De son voyage, Foucher rapporte une centaine de fragments en pierre, mais aussi quelques stucs. Se détachent du lot une statue de Maitreya en ronde bosse et le bodhisattva de Shahbaz Garhi {ill. 33}, qui illustre magnifiquement sa thèse d'un art hybride, mêlant apport des steppes, influences helléniques et vocabulaire indien. Pour Foucher, l'artiste gandharien était grec par son père et par là même sculpteur, mais indien par sa mère et par là même bouddhiste. Ce fonds Foucher est attribué en 1900 au Louvre, au département des Antiquités orientales, et reversé dès 1912 au département d'Extrême-Orient qui voit alors le jour. La collection finira par être envoyée au musée Guimet après 1945, lors du redécoupage des périmètres couverts par chacun des musées.

---

1 Hackin, 1928.

Foucher avait donc succombé au charme de cet art « métis » qu'il voyait comme la rencontre à la fois improbable et logique entre l'Orient et l'Occident, le Gandhara n'étant pas plus éloigné du golfe du Bengale que de la Méditerranée. Il n'ira pourtant pas plus loin avant 1921. C'est à cette date, en effet, qu'il est contacté par Philippe Berthelot (1866-1934), secrétaire général au Quai d'Orsay, mais également un ami d'enfance, pour se rendre à Kaboul, devant l'ouverture que semble esquisser l'émir d'Afghanistan, et ce alors qu'il travaille en Inde avec Sir John Marshall (1876-1958) pour le compte de l'Archaeological Survey of India. Foucher à ce sujet parle très joliment d'une « contagion des sympathies » que suscite l'action de la France dans le domaine de l'archéologie en Syrie et en Perse. Le bilan de la mission afghane de Foucher, de 1922 à 1925, reste toutefois très limité, même si c'est grâce à lui qu'est fondée la DAFA (Délégation archéologique française en Afghanistan) : quelques stucs gréco-afghans des sondages qu'il réalise à Hadda, en 1923, sur le site de Tapa Kalan, avec André Godard (1881-1965), quelques lampes à huile de la période islamique provenant des fouilles de la citadelle de Bactres, en 1924.

La pièce de résistance provient en fait du Kapisa. Elle est due aux fouilles de Païtava qu'assure, en décembre 1924, Joseph Hackin, conservateur au musée Guimet, de retour de Bactriane afghane, où il avait été envoyé en mission pour épauler Foucher dans ses fouilles de Bactres : une stèle au Grand Miracle en schiste {ill. 49}, exhumée sur le site d'une fondation bouddhique où, dix ans auparavant, une stèle du même type avait été trouvée par les équipes du musée de Kaboul. De retour à Paris, Hackin s'efforcera d'ouvrir le musée Guimet à l'art du Gandhara en l'enrichissant par des acquisitions, comme en témoignent le *Guide-catalogue du Musée Guimet, les collections bouddhiques*[2] et le volume *Le Musée Guimet (1918-1927)*[3] : achat Haase en 1922, donation Clemenceau en 1927.

Mais il faut attendre les fouilles de Jules Barthoux (1881-1965) sur le site de Hadda, de 1926 à 1928, pour voir les collections afghanes prendre au musée Guimet une nouvelle dimension. Barthoux prend le relais des fouilles de la DAFA après le départ de Foucher, épuisé et démoralisé par son expérience bactrienne et toujours mal à l'aise d'avoir joué double jeu avec ses amis anglais, les Afghans refusant farouchement toute coopération avec les Britanniques. Des fouilles de Tapa Kalan proviennent une multitude de têtes en stuc au réalisme saisissant {ill. 11}, qui forment le noyau de la première galerie afghane inaugurée au musée en 1929 par Joseph Hackin, peu avant sa deuxième mission en Afghanistan et sa longue absence de Paris qui s'ensuit, jusqu'en 1934, pour cause de « Croisière jaune » (1931-1932) et de nomination à Tokyo comme directeur de la maison franco-japonaise (1930-1933). Dans la nouvelle galerie, Hackin met en parallèle les stucs gréco-afghans et des agrandissements photographiques de grande taille de sculptures médiévales d'Occident {ill. 10}. René Grousset (1885-1952), alors conservateur adjoint au musée Guimet, théorise cette vision : « Aux approches du Moyen Âge, *l'art gréco-romain d'Extrême-Orient*, abandonné à lui-même et évoluant sur ses données propres, était en train, lorsqu'il fut brutalement détruit par l'invasion des Huns, d'inventer des formules auxquelles *l'art gréco-romain d'Extrême-Occident* devait aboutir quelques siècles plus tard – le roman et le gothique[4]. »

Des fouilles de Bagh Gaï viennent ainsi à Paris des peintures murales qui sont en fait des fresques, au sens technique du terme, mais aussi tout un décor de bouddhas en stuc se tenant sous arcade (*vihara* B56) ; du monastère de Tapa-i Kafariha, la base du stupa K20, qui mêle le calcaire et le stuc et démarque, avec ses éléphants et ses cornacs {ill. 13}, un thème transcrit à Sahr-i Bahlol dans le schiste, mais

2 Hackin, 1923.
3 Hackin et Grousset, 1928.
4 Grousset, 1929-1930, p. 116.

L'Ange de St Nicaise,
("Le Sourire de Reims")
Portail de la Cathédrale
Collection de M. P. Antony-Thouret

← ill. 10
Moulage du buste de l'ange de saint Nicaise, dit « le Sourire de Reims », provenant du portail de la cathédrale de Reims
Photographie, 1916
Charenton-le-Pont, Médiathèque de l'architecture et du patrimoine, B4417

ill. 11
Tête féminine
Afghanistan, Hadda, monastère de Tapa-i Kafariha, stupa K1, IIIe-IVe siècle
Stuc, traces de polychromie ; H. 16 ; L. 13 ; P. 10 cm
Paris, MNAAG, fouilles de la DAFA, mission Jules Barthoux (1926-1927), MG 17387

aussi quelques têtes de grande taille modelées dans la terre. Du monastère de Chakhil-i Ghoundi enfin, tout un décor sculpté dans un calcaire très fin, au style gréco-indien nettement hellénisant (escalier menant à la plate-forme du stupa C1). Pourtant, curieusement, les rapports se tendent assez vite entre le fouilleur et la commission d'Afghanistan à Paris, qui pilote les fouilles, mais aussi le musée. Jules Barthoux disparaît ainsi peu à peu de la scène dans les années 1930, laissant le champ libre à Hackin, auréolé du prestige de ses missions lointaines, de son poste de directeur du musée et de directeur *de facto*, sur le terrain, de la DAFA.

À son retour à Paris en 1934, Joseph Hackin renforce la galerie afghane du musée en y intégrant le fruit de ses fouilles à Bamiyan (grotte G) et des recherches menées sur le site de Kakrak (peintures murales et coupole, déposée pour cause d'infiltrations et partagée, en conséquence, entre Kaboul et Paris). Il rapporte aussi de nombreuses copies du décor peint de la vallée, réalisées par Jean Carl (1900-1941), à côté d'une riche moisson photographique et de films tournés par Ria Hackin (1905-1941). Il revient enfin avec une collection de monnaies, patiemment rassemblée au cours de ses séjours, tout en se lançant, dès 1935, dans une politique de dépôt des stucs de Hadda conservés à Paris dans les musées du monde entier, du musée du Luxembourg à celui de l'Ermitage, du British Museum au musée de Bruxelles, de Kansas à Buffalo ou encore à Harvard, sans avoir intégré, semble-t-il, les projets de reconstitution qu'envisageait Barthoux en réservant dans le lot attribué à la France les deux stupas votifs qu'il avait dégagés au monastère de Tapa Kalan, TK23 et TK121 {ill. 12}. De la mission au Séistan afghan en 1936 provient toute une série de tessons islamiques, ou de poteries néolithiques du site de Nad Ali (fouilles de Roman Ghirshman [1895-1979]), mais c'est l'année suivante, au Kapisa, avec la découverte de la première chambre du « trésor de Begram » (chambre 10), que le musée Guimet assure sa notoriété sur la scène internationale. Avec cette découverte exceptionnelle, l'Afghanistan apparaît en effet comme un carrefour essentiel au cœur de l'Eurasie : les plus anciens ivoires indiens jamais trouvés dans le sous-continent, d'une très grande variété de facture {ill. 86 à 90} ; les plus anciens verres gréco-romains jamais exhumés, même en Méditerranée, représentant tous les styles et toutes les techniques {ill. 94 à 98} ; une collection complète d'*emblemata* de plâtre de style alexandrin {ill. 93}, à côté de bronzes gréco-romains typiques du Ier siècle et de laques chinois de la période des Han.

ill. 12
Stupas TK23 et TK121
dans les salles du musée Guimet en 2018
Afghanistan, Hadda, monastère de Tapa Kalan, IVe-Ve siècle
Stuc ; H. 180 ; L. 140 ; P. 140 cm
Paris, MNAAG, fouilles de la DAFA, mission Jules Barthoux (1927), MG 17156

Les fouilles resteront toutefois inachevées, malgré la découverte en 1939 de la deuxième chambre du « trésor », la chambre 13. La guerre éclate en effet la même année et, répondant à l'appel du 18 juin du général de Gaulle, les Hackin rallient la France Libre de Kaboul. Parallèlement au travail minutieux qu'avaient mené Joseph et Ria Hackin sur les chambres du « trésor », Jacques Meunié (1898-1967) fouille à côté de Begram la fondation bouddhique de Shotorak (Ier-IIIe siècle), alors que Jean Carl, pour sa part, dégage dans la vallée du Ghorband le petit monastère de Fondukistan (VIe-VIIe siècle).

Après la guerre, les collections du musée Guimet prennent un nouveau visage. Elles intègrent dès lors le fonds de l'âge du bronze provenant des fouilles menées de manière indépendante par Jean-Marie Casal (1905-1977), pour le compte de la DAFA, avec le soutien financier de la mission archéologique française en Inde, sur le site de Mundigak (1951-1958) – poteries et pointes de flèches {ill. 101 et 105-107} –, puis un pilastre en calcaire et quelques chapiteaux {ill. 115} issus de la plate-forme bouddhique du site de Surkh Kotal, en Bactriane afghane, où Daniel Schlumberger (1904-1972), directeur de la DAFA depuis 1947, dégage l'acropole du souverain Kanishka, présentant les Kouchans comme les « descendants non méditerranéens de l'art grec[5] ». Le premier apport permet d'aborder un champ nouveau pour la recherche, celui de l'âge du bronze

5 Schlumberger, 1960a.

en territoire afghan et de la culture de l'Helmand (3300-2500 av. notre ère), soulignant les liens avec l'Iran, avant que quelques sceaux en bronze venus de Bactriane (don de M. Koutoulakis en 1978, MA 4634 à MA 4646) ouvrent un nouveau chapitre, celui de la « civilisation de l'Oxus » (2400-1900 av. notre ère), témoignant des rapports tissés par cette région avec le Proche-Orient et l'Inde, même si les « déesses de Bactriane », qui en sont les figures les plus emblématiques, ont toutes été acquises par le département des Antiquités orientales du Louvre. Le deuxième apport, en revanche, fait le lien, chronologique mais également spatial, entre le Gandhara, au sud de l'Hindou Kouch, domaine privilégié du stuc comme du schiste et marqué par l'influence indienne, et la Bactriane, au nord, ouverte sur la steppe et où l'empreinte grecque reste très présente.

Avec la rénovation du musée (1996-2000), les collections afghanes ont été systématiquement restaurées, inventoriées quand elles ne l'étaient pas, et les projets de Barthoux de reconstitution des deux stupas de Tapa Kalan menés à leur terme {ill. 12}, ce qui a obligé à une vaste opération de récolement des dépôts des stucs de Hadda dans les musées étrangers[6]. Dans la lancée, en s'appuyant sur les archives et les photos de fouilles, des ensembles architecturaux ont été remontés quand cela était possible, comme l'escalier de Chakhil-i Ghoundi ou l'entrée du *vihara* B56, ainsi qu'une partie du décor de son mur extérieur qui mêle peintures et modelages en stuc. Un travail similaire de reconstitution a été opéré avec les ivoires de Begram et le mobilier sur lequel ceux-ci étaient fixés, en s'appuyant sur les données de fouilles et les relevés de Pierre Hamelin, ingénieur des Arts et Manufactures, que Joseph Hackin avait fait venir sur le chantier de Begram du 24 juin au 13 juillet 1939, et qui, même après la guerre, continua de travailler sur le matériel exhumé – essentiellement les ivoires et les verres –, à Kaboul mais aussi à Paris.

Au fil du temps, le fonds du Gandhara rapporté par Foucher et complété par Hackin a été renforcé grâce à des dons (Bouddha de M. et Mme Georges Frémont en 1996, MA 6284) ou des acquisitions (ancienne collection Michel Legendre : stèle de la visite des seize anachorètes au Bouddha, retiré dans sa grotte [2012, MA 12484], ou bas-relief représentant trois moines assis, évoqués de profil [2015, MA 12692]). Peut être signalé également le don en 2003 d'un Avalokiteshvara assis, sculpté en marbre blanc, provenant de Khair Khane, par le professeur Holge Kulke {ill. 56}. Mais le fait majeur dans le domaine de l'enrichissement des collections reste l'entrée au musée de pièces de la collection Malraux, d'abord avec la donation de M. et Mme Michel Duchange en 2006 (tête au turban, provenant de la collection de Madeleine Malraux [1914-2014], MA 12183) ; puis avec les deux dons de la Société des amis du musée Guimet : en 2007 la tête casquée qu'André Malraux rapproche, dans *Les Voix du silence*, de l'« Ange au Sourire » de Reims (MA 12220), mais aussi, et surtout, en 2018, la figure de Maitreya tenant le vase à eau (collection de Florence Malraux [1933-2018], MA 12974), la pièce la plus emblématique de la collection, à côté de laquelle André Malraux s'est souvent fait photographier. Si la collection conserve une part de son mystère – elle aurait été acquise en 1930 à Rawalpindi lors du voyage en Inde d'André et Clara Malraux, selon le témoignage de celle-ci –, restant ambivalente entre Hadda et Taxila, tant les styles sont divers et les provenances mêlées, la figure de Maitreya qui fit l'affiche de l'exposition « Afghanistan, une histoire millénaire », à Barcelone en octobre 2001, puis à Paris en mars 2002, illustre merveilleusement la vision d'André Malraux de l'art de ces confins afghans, un art où, pour la première fois, et sans doute même la seule, le bouddhisme a su s'humaniser et chanter toute la beauté du monde, un art qui du ciel ne connaîtrait que les anges.

ill. 13
Détail de la base du stupa K20 : atlantes, cornacs et éléphants
Afghanistan, Hadda, monastère de Tapa-i Kafariha, IIIe-IVe siècle
Calcaire et rehauts de peinture
Paris, MNAAG, fouilles de la DAFA, mission Jules Barthoux (1928)

---

6 Cambon, 2004.

L'histoire mouvementée du Musée national d'Afghanistan

Omar Khan Massoudi et Susanne Annen

L'idée de fonder le Musée national d'Afghanistan remonte à 1919, début d'une période d'essor politique, culturel et social en Afghanistan. Situé au cœur de l'Asie, sur les voies stratégiques de la Route de la soie qui reliait la Chine, l'Inde et le monde méditerranéen, l'Afghanistan présente une civilisation extraordinairement riche. De l'âge du bronze à l'époque islamique, ces routes du commerce international et les royaumes voisins en marquèrent l'histoire.

S'appuyant sur ces phénomènes, la recherche occidentale s'est intensivement penchée, au cours du dernier siècle, sur les axes de la progression grecque en Orient, et surtout en Afghanistan, doté d'un riche héritage archéologique. Le résultat du travail des archéologues afghans et internationaux fut la transformation du Musée national en un lieu sûr pour la conservation, la sauvegarde et l'entretien des trésors culturels afghans. Les collections du musée comptent environ cent mille objets antiques de la période préislamique ainsi que des œuvres ethnographiques.

Il est très douloureux de se remémorer l'époque durant laquelle ces biens d'une immense valeur historique et culturelle subirent d'importants dommages du fait des bouleversements politiques qui ont frappé l'Afghanistan. L'un des plus regrettables incidents fut le déplacement des objets du Musée national vers la résidence de Sardar Mohammad Naim, ministre dans le gouvernement formé par Akbar Kahn Mineh après le coup d'État du 27 avril 1978. Le 17 avril 1979 débuta le transfert précipité et irresponsable des objets, sans considération des normes techniques qui devraient être respectées pour l'emballage et le transport. L'opération dans sa globalité dura vingt-cinq jours, et les pièces furent d'abord stockées pendant un an. Par chance elles restèrent intactes, contrairement aux vitrines d'exposition et aux armoires en bois et en métal, qui subirent des dégâts importants : le lieu de stockage était inapproprié et elles souffrirent aussi de la pluie et de la neige. Les œuvres du musée furent ensuite déplacées dans le quartier de Darulaman, où les mesures de restauration se concentrèrent. On doit à l'implication des conservateurs du Musée national, de l'Institut national d'archéologie ainsi qu'à quelques érudits et citoyens engagés, le fait que le musée ait pu rouvrir dans son état d'origine après un an et demi de travaux.

L'occupation soviétique de l'Afghanistan, dans les années 1980, occasionna de nouvelles destructions. En 1981, le bâtiment du musée de Hadda, situé à huit kilomètres à l'est de Jalalabad, fut réduit en cendres ; c'était l'un des plus beaux musées du pays. Son pillage intégral représente une perte historique et culturelle irremplaçable. Également conservées à Jalalabad, les importantes découvertes faites par des archéologues afghans lors de fouilles indépendantes menées à Hadda, sont perdues pour toujours. Lorsque, en 1988, la sécurité se dégrada de plus en plus à Kaboul, les services responsables du Musée national, le ministère de la Culture et de l'Information et les services de sécurité proposèrent au président de la République en poste à cette époque de déposer

ill. 14
Premières collections afghanes installées à Kot-e Batcha, en présence du roi Amanullah (à gauche)
Afghanistan, Kaboul, entre 1922 et 1930
Paris, MNAAG, archives photographiques

un certain nombre d'objets du musée dans un lieu plus sûr. Ainsi fut transférée à la Banque centrale, dans le palais présidentiel (Arg), une partie des collections issues de divers complexes de fouilles tels que Begram, Aï Khanoum, Hadda, Kohna Masjid et Kamen Dareh. Les objets en or datant de différentes époques et composant le trésor de Tillia Tepe y furent également apportés. Simultanément, on transféra des pièces provenant de Fondukistan et de Bamiyan dans la maison du quatrième ministre de la Culture et de l'Information. Réparties dans divers lieux, les collections étaient ainsi mieux protégées. Pour prévenir les vols et les pillages, une attention extrême fut apportée durant ces années à ne pas rendre publics le déplacement de ces œuvres et leur localisation. Le secret a été très bien gardé et une partie de l'histoire du pays a pu ainsi être préservée.

Lorsque l'Afghanistan fut libéré du joug communiste naquit l'espoir d'un avenir meilleur, mais celui-ci fut rapidement étouffé. Le soir du 31 décembre 1992, deux œuvres majeures du Musée national furent volées : un relief daté du IIe-IIIe siècle après J.-C. provenant de Shotorak et illustrant le culte des trois frères Kashyapa, et un relief représentant le Dipankara Jataka, provenant également de Shotorak et de la même époque. Quelques jours plus tard, les fenêtres de la grande réserve du Musée national, le « dépôt Hadda », furent cassées et de nombreux objets dérobés. En outre, fin 1992, le lien entre le Musée national et ses employés fut rompu en raison de l'insécurité régnant sur la route menant du centre de Kaboul à Darulaman. Le 12 mars 1994, le musée, qui à l'époque servait de camp de base aux militaires, fut touché par des missiles lors d'échauffourées et un incendie y éclata. Le soir du 13 mai, la BBC déclarait : « L'Afghanistan a enterré ses enfants mais sa culture doit survivre. » Cette déclaration fit réagir non seulement les comités culturels des Nations unies mais aussi d'autres organisations culturelles nationales et internationales, et alarma l'opinion publique.

ill. 15
Le Musée national d'Afghanistan après pillage
Afghanistan, Kaboul
Photographie Pierre Cambon, 1995
Paris, MNAAG, archives photographiques

Le 29 novembre 1994, Sotirios Mousouris, chargé de mission du secrétaire général des Nations unies, rencontra à Kaboul le chef du groupe qui contrôlait cette zone et le pria de donner l'autorisation au représentant de l'ONU de reprendre le projet de reconstruction et de restauration du Musée national. Cette rencontre permit à quelques journalistes, diplomates et membres des Nations unies ainsi qu'à la Croix-Rouge de visiter les différents départements du musée. Il apparut que de nombreux objets avaient été pillés, en particulier une collection de plus de quarante mille pièces de monnaie de différentes époques ainsi qu'une grande partie de la collection de tapis, dont les magnifiques tapis afghans des salles d'exposition et du hall du musée. Une partie du contenu des vitrines d'exposition, dont certaines avaient été offertes par l'Unesco et fabriquées en Europe, avait également disparu. Profondément ébranlé, Sotirios Mousouris eut ce commentaire : « Par ses collections, un musée est le lieu le plus important pour témoigner de l'histoire ; il concrétise l'identité d'un peuple et il ne faut pas porter atteinte à une seule pièce, même la plus petite. Emporter des objets d'un musée revient à porter atteinte à l'esprit et à l'âme d'un pays ; les détruire est une catastrophe irréparable, les voler ou les piller une trahison impardonnable envers le peuple. » Le chargé de mission prit spontanément la décision d'aider le musée avec le soutien du bureau de la Coordination des affaires humanitaires (BCAH/OCHA) des Nations unies, la seule mission de l'ONU encore active à Kaboul après le transfert de toutes les autres à Islamabad. Des portes métalliques et un toit en zinc furent installés ; les fenêtres furent bouchées à l'aide de briques afin de les protéger contre les balles, missiles et/ou petits projectiles. Durant l'hiver extrêmement froid de 1994, un incendie détruisit malheureusement toutes ces mesures de protection.

La même année, la Société pour la protection de l'héritage culturel afghan (SPACH, Society for the Preservation of Afghanistan's Cultural

Heritage) fut créée avec le soutien indirect de l'Unesco. En outre, une équipe d'employés fut mobilisée pour sortir des décombres les œuvres conservées au premier étage du musée. Environ trois mille objets en céramique, pierre ou métal partiellement endommagés furent ainsi sauvés et transportés dans des dépôts extérieurs.

Quelques fresques des salles de Bactriane et de Ghazni avaient été totalement détruites par la chute du toit. Pour cette raison, le ministère du Culture et de l'Information décida en 1996 de transférer dans le centre-ville les objets restants. Les employés du musée constituèrent à cette fin plusieurs équipes pour effectuer les différentes tâches : catalogage, restauration, documentation photographique, emballage, surveillance, transport et gestion des œuvres. Un comité directeur fut également créé. Menés de concert avec la direction de l'Institut archéologique et le service de sécurité, les travaux purent être achevés en six mois grâce à l'engagement indéfectible de toutes les personnes concernées.

Lorsque les talibans prirent le pouvoir à Kaboul, les œuvres se trouvant à l'hôtel Kaboul restèrent heureusement intactes, contrairement aux objets entreposés dans les dépôts, qui furent victimes de leur iconoclasme fanatique. De nombreux vols furent aussi enregistrés. Après une interruption de plusieurs mois, les employés responsables de la conservation entreprirent, par le biais de la SPACH, l'inventaire des pièces encore existantes dans les différentes zones de stockage du musée et rapportèrent une partie d'entre elles dans le centre-ville. Début 2001, les talibans firent détruire plus de deux mille cinq cents statues du musée ; en mars 2001, ce fut le tour des bouddhas de Bamiyan, deux sculptures colossales taillées à même la falaise. Cette barbarie, qui a profondément affecté tout Afghan qui se respecte, représente une fois encore une perte irrémédiable.

Depuis, de gros efforts ont été entrepris pour reconstruire le Musée national, documenter les collections et restaurer les œuvres endommagées. Avec l'aide de pays alliés, l'héritage culturel du pays a ainsi pu être sauvé et conservé durant ces vingt dernières années. La reconstruction du Musée national a commencé en 2003 : grâce à des dons venus de différents pays par l'intermédiaire de l'Unesco, son toit et sa façade ont pu être rénovés. Parallèlement, des opérations de restauration des objets furent entreprises grâce à la collaboration de spécialistes internationaux et des employés du musée ; cette première étape de sauvegarde des collections a été poursuivie de façon systématique jusqu'à ces dernières années. Entre-temps, quelques artefacts pillés ont réintégré le Musée national, provenant tant d'Afghanistan que de l'étranger. En septembre 2004, le président Hamid Karzai inaugura en grande pompe le musée rénové ; la première exposition fut dédiée aux œuvres du Nouristan.

En 2003, un rapport de la Banque centrale à Kaboul avait agréablement surpris l'opinion publique : les objets déposés en son sein avaient, depuis 1989, traversé indemnes ces années mouvementées. Les dépôts furent ouverts l'année suivante et catalogués par une équipe d'experts afghans et internationaux. À cette occasion fut émis le souhait que ces trésors soient exposés ; l'exposition itinérante « Afghanistan, les trésors retrouvés » devint ainsi une excellente ambassadrice de la beauté et de la richesse culturelle du pays. Sa première étape fut, en 2006, le musée Guimet à Paris – où elle donna lieu à une collaboration entre les équipes des deux musées. L'exposition voyagea ensuite pendant treize ans à travers treize pays.

Au milieu des années 2010, une nouvelle génération sortit des universités et le Musée national put embaucher quelques conservateurs issus de ces promotions, qui vinrent enrichir l'équipe de nouvelles idées et de résultats de recherches. Un travail sur la muséographie débuta avec des innovations et un enthousiasme renouvelé. Les galeries furent réaménagées et, depuis 2010, outre la présentation des collections permanentes, l'accent est mis sur la conception

ill. 16
Soldats s'abritant dans le hall du Musée national d'Afghanistan durant la guerre civile
Afghanistan, Kaboul
Photographie Steve McCurry, 1995

d'expositions temporaires. « Mes Aynak » fut la première. Les dernières fouilles réalisées sur ce site par le département archéologique du ministère de l'Information et de la Culture avec le soutien technique de la DAFA constituaient le cœur de cette exposition, grâce au transfert au Musée national des premiers objets exhumés. Pour la première fois, un petit catalogue documentant les fouilles et illustrant les trouvailles put être publié. Ce premier projet, auquel participèrent tous les services du musée, fut un élément didactique fort dans la formation de tous les employés. Mais la conception d'expositions temporaires permit aussi, par la visibilité qu'elles donnaient au Musée national, de renforcer la conscience de l'opinion publique afghane quant à la valeur de la richesse historique et culturelle du pays et des collections du musée. Une coopération avec des écoles fut mise en place, dans le cadre de laquelle une partie des cours d'histoire se tint au musée en compagnie d'un conservateur. Pour les établissements dont les élèves ne pouvaient pas se permettre, pour des raisons de sécurité, de venir au musée, le cours conçu par le conservateur avait lieu à l'école. Cette collaboration se révéla un multiplicateur significatif du nombre de visiteurs : durant les week-ends, les écoliers venaient au musée avec leur famille pour leur montrer l'héritage culturel national.

Un an plus tard, en mars 2012, le ministère de l'Information et de la Culture lança un concours international, ouvert aux architectes, ingénieurs, urbanistes, designers et artistes, pour la construction d'un nouveau Musée national. Le choix du jury s'est porté sur un projet reposant sur la clarté et la qualité du concept architectonique, qui correspondait aux exigences programmatiques, fonctionnelles, techniques, économiques et sécuritaires de la mission. Dans ce cadre, le Musée national signa la même année un contrat de coopération avec l'Oriental Institute de l'Université de Chicago. Une base de données des collections fut mise au point afin de terminer l'inventaire et l'enregistrement des collections. Les anciennes données électroniques furent identifiées et intégrées dans le nouveau système, et les données non numérisées furent rassemblées, scannées et entrées dans la base. Ce projet, désormais achevé, fut accompagné d'une campagne de restauration qui s'est poursuivie jusqu'à la chute du gouvernement en août 2021.

Même si, à ce jour, la construction du nouveau musée n'a pu être commencée, il fut possible de déplacer l'accès du musée pour en renforcer la sûreté ; un nouveau mur d'enceinte clôture également la parcelle depuis 2013. Cette mesure, plus sécuritaire pour le bâtiment et les collections, permet aussi aux visiteurs de traverser les beaux jardins du musée. Il serait néanmoins souhaitable que, dans les prochaines années, une nouvelle demeure puisse être offerte aux collections. De nombreux donateurs internationaux ont déjà participé à de multiples initiatives pour la renaissance du Musée national. Même si des progrès ont été faits, il reste encore beaucoup à entreprendre. La collaboration internationale avec nos collègues fut un grand enrichissement pour toutes les parties. Il reste à espérer que le nouveau gouvernement en place depuis 2021 accordera autant d'importance à la préservation et à la protection de l'héritage culturel de son pays que les gouvernements des vingt dernières années.

ill. 17
Visite scolaire au Musée national d'Afghanistan
Photographie Robert Nickelsberg, 2016

BACTRIANE
LE « MAILLON GREC »

L'exploration archéologique de la Bactriane

Pierre Cambon

La première monnaie grecque du royaume de Bactriane (250-130 av. J.-C.) est publiée à Saint-Pétersbourg en 1738 dans un ouvrage rédigé en latin, *Historia regni graecorum Bactriani*, par un professeur allemand, Théophile Siegfried Bayer : un tétradrachme de poids attique du souverain Eucratide (170-145 av. J.-C.), représentant le monarque casqué, en buste de profil, avec, au revers, les Dioscures à cheval et, tout autour, une légende en grec, *Basileos Megalu Eucratidu* (« le grand roi Eucratide »). Bercés par la culture classique et les auteurs grecs et latins, qui mentionnent le royaume créé sous les successeurs d'Alexandre le Grand qui se disputent le fruit de ses conquêtes, les savants européens sont fascinés par le « royaume aux mille villes » qui surgit aux confins du monde hellénique, aux portes de la steppe, en même temps que le royaume parthe (250 av. J.-C.-224 ap. J.-C.). Trogue-Pompée, au IIe siècle, fait le parallèle entre les deux, comparant le sort malheureux du premier, balayé par les invasions nomades, un siècle après sa création, et l'essor du second, qui s'opposera à Rome. Marco Polo, de passage dans ces confins afghans au XIIIe siècle, évoque les ruines encore impressionnantes de la ville de Balkh (ancienne Bactres), ravagée par les invasions mongoles, et les premiers voyageurs occidentaux qui passent dans la région n'auront de cesse qu'ils n'aient reconstitué le périple du conquérant macédonien, dont le souvenir reste très vivace, conforté par le succès du *Roman d'Alexandre* dans le monde islamique.

Sir Alexander Burnes (1805-1841) le constate en Bactriane afghane, lors de son voyage à Boukhara en 1832. Aussi, en 1919, quand le royaume afghan semble devoir s'ouvrir, à l'issue de la troisième guerre anglo-afghane, Alfred Foucher incite Émile Senart (1847-1928), qui se rend à Londres pour le congrès des sociétés asiatiques, à faire voter une motion suggérant au gouvernement de l'Inde de revendiquer « le droit à l'exploration archéologique de la Bactriane ». Celle-ci sera adoptée, malgré le scepticisme anglais. L'idée de Foucher est alors de profiter de la puissance britannique en s'associant à Sir Aurel Stein (1862-1943), qui considère la Bactriane comme son dû après ses longues missions au Turkestan, l'Afghanistan restant le « chaînon manquant » entre l'Inde britannique et le Xinjiang chinois, d'autant que Foucher pense pouvoir y trouver les sources de l'art « gréco-bouddhique ». Mais en 1922, lors de la création de la DAFA, les Afghans bloquent toute implication des Anglais dans les fouilles en territoire afghan, malgré les tentatives de Foucher en ce sens, ce qu'Aurel Stein cependant ne lui pardonnera pas. Craignant de se voir isolé dans une région enclavée, sans la logistique britannique, Foucher va donc très vite se défausser du projet, et ce alors qu'Émile Senart réussit à rassembler les fonds nécessaires à cette opération, ralliant

PAGE PRÉCÉDENTE
Mosaïque du palais d'Aï Khanoum
(détail de l'ill. 28)

ill. 18
Chapiteau corinthien du palais d'Aï Khanoum
Photographie
Marc Le Berre, 1966
Paris, Collège de France, archives, fonds Le Berre, IEI 013-NC04023LB

à sa cause les hellénisants, plus puissants à Paris que les orientalistes. Peut-être Foucher est-il séduit par les charmes de Kaboul, où il mène une vie de quasi-diplomate. Peut-être aussi voit-il la Bactriane avec moins d'intérêt devant la richesse des sites au sud de l'Hindou Kouch, de Begram au Kapisa, l'ancienne Alexandrie du Caucase, à Hadda près de Jalalabad, qui lui révèle, en 1923, un stuc « greco-afghan », écho de ceux de Taxila, non loin d'Islamabad. Suscitant l'incompréhension de Senart, Foucher se rend à contrecœur en Bactriane afghane, une région coincée à la frontière soviétique, où la malaria est fréquente, critiquant même le but de la mission, puisque tout le monde sait, dit-il, qu'Alexandre est bien passé à Bactres, où il épouse Roxane, rêvant d'un empire fusionnant l'Orient et l'Occident, et que des fouilles le confirmant n'apporteront rien de neuf. Se présentant comme la victime d'une mécanique qu'il a lui-même créée, il joue la carte du pire en s'attaquant directement, de façon mortifère, à la citadelle de Bactres, où des milliers de mètres cubes de lœss doivent être déblayés, alors qu'il signale lui-même que, sur le « tepe des orfèvres », à Tepe Zargaran, des bijoux antiques sont fréquemment trouvés. Et d'ironiser sur le « mirage bactrien », en dénonçant l'incapacité des condottières de Bactriane à faire autre chose que battre monnaie – ce qu'ils savent très bien faire – ou de se battre entre eux tout en se révélant parfaitement incapables de construire une architecture de pierre, dans une région qui en est dépourvue. À l'issue de ses fouilles, qui s'avèrent une impasse, affaibli par les fièvres et ravi de s'échapper pour d'autres horizons, Foucher écrit pourtant à Senart, non sans un certain cynisme plus ou moins conscient, qu'il convient, malgré tout, de poursuivre les fouilles, puisque Bactres n'est pas toute la Bactriane.

C'est Jules Barthoux qui repère en fait, un an après le départ de Foucher, la ville d'Aï Khanoum, lors de sa mission de reconnaissance au nord de l'Afghanistan, en 1926. Il y voit même un site pouvant être antérieur à la période des Grecs, d'époque achéménide, et souligne l'intérêt qu'il y aurait à y mener des fouilles. Mais, paradoxalement, son rapport envoyé à Paris, avec photographie, restera lettre morte. Il faut attendre 1961 pour que le site soit redécouvert par le souverain Zaher Shah, lors d'une partie de chasse ; le roi en informa aussitôt Daniel Schlumberger, alors directeur de la DAFA. Grâce à l'autorisation négociée par l'Afghanistan avec les Soviétiques, le site étant situé à la frontière entre les deux pays, les fouilles démarrent en 1964 et les campagnes s'enchaînent pendant plus de dix ans, confirmant l'existence d'une architecture qui mêle la pierre avec la brique. Ces fouilles évoluent au fil du temps dans leur concept même, passant de la recherche des inscriptions en grec à une prise en compte plus globale de la ville, voire de sa situation sur le plan régional. Sur fond de divergences intellectuelles et idéologiques chez les archéologues, des visions différentes voient s'affronter « classiques » et « modernistes », les premiers étant suspectés d'avoir une vision par trop occidentale, où la Grèce serait à l'origine de tout, illustrant la supériorité des conquérants venus de l'ouest sur le sous-continent – ce qui est plus ou moins bien vu par la partie indienne, après la conférence de Bandung (1955) –, les seconds prônant les « *surveys* » à l'anglaise, par définition moins coûteux, et le maillage territorial. La lecture du site est longtemps purement grecque, *a fortiori* avec la découverte de l'inscription de Cléarque de Soloï, qui évoque son voyage au temple d'Apollon à Delphes pour y recopier les préceptes delphiques, quitte à fausser parfois, plus ou moins consciemment, l'interprétation des monuments eux-mêmes, comme le temple à redans. Pourtant, dès 1960, Schlumberger avait souligné le facteur oriental dans ces confins afghans, donnant les Kouchans comme les « descendants non méditerranéens de l'art grec » et avançant l'hypothèse d'un « Orient hellénisé », où l'apport grec, bien plus qu'un art importé, doit souvent s'adapter aux contingences locales, notamment dans l'architecture, comme l'illustrent les colonnes d'Aï Khanoum, aux chapiteaux néo-corinthiens, sur le mode asiatique, mais à la base de type achéménide. Il n'en reste pas moins que l'empreinte hellénique est bel et bien réelle, comme le confirment les fouilles soviétiques à Nisa, la capitale du royaume parthe, contemporain et voisin, avec sa collection de rhytons en ivoire aux scènes hellénisantes trouvée dans le trésor, ou encore à Takht-i Sangin (actuel Tadjikistan) avec son petit autel en pierre qu'Atrosokès dédie au dieu Oxus, où Marsyas joue de la double flûte. L'élément grec n'est donc pas un mirage comme le voulait Foucher, même si la connexion entre la Bactriane et le Pendjab, conquis par Démétrios (200-190 av. J.-C.) et où s'épanouit bientôt l'école du Gandhara, autour de Peshawar, avec ses premières représentations du Bouddha sous une forme humaine, au temps du roi Ménandre (160-140 av. J.-C.) et des souverains indo-grecs, est encore à préciser. En 2002, grâce au repérage de chapiteaux néo-corinthiens en calcaire, dû à des fouilles clandestines, la DAFA reprend les fouilles à Balkh, dans le secteur de Tepe Zargaran. Celles-ci démontrent qu'Aï Khanoum n'est pas un cas unique et que l'architecture en dur existe en Bactriane, à l'époque des Grecs, contrairement à ce qu'écrit Foucher, même si celle-ci reflète un monde déjà largement oriental. Développant la thèse de Foucher, reprise par Joseph Hackin comme par René Grousset, sur le rôle majeur joué par la Grèce dans l'éclosion d'un art bouddhique en stuc à la frontière afghane, André Malraux insiste, avec ses propres mots, sur l'importance du « maillon grec » dans cette symbiose qu'il donne comme « gothico-bouddhique » et ce glissement vers l'est des styles occidentaux. « Si dans l'Europe des invasions et à Byzance, les formes antiques devaient rencontrer les Barbares et le Christ, note-t-il dans *Les Voix du silence*[1], dans les royaumes macédoniens des Indes elles avaient rencontré le Bouddha. » Certes, ajoute-t-il, « cette rencontre nous échappe » mais, poursuit-il, « les royaumes grecs d'Asie centrale coupés du monde hellénistique par la conquête parthe, des formes alexandrines se maintinrent sans peine jusqu'à la cour de Ménandre et ne se maintiendront pas moins sous les rois indo-scythes, malgré l'art kouchan ». Dès lors, dit-il, « les premiers Bouddhas d'Afghanistan sont des copies d'Apollon auxquelles ont été ajoutés les signes de la sagesse ». Or, comme il le fait remarquer, « la Grèce était ennemie des signes abstraits, et il sembla naturel aux sculpteurs qu'elle inspirait de figurer d'abord la suprême sagesse par la suprême beauté ». Et Malraux de conclure, avec autorité : « La vie de l'art venu de Grèce n'est pas dans une conquête d'arts locaux ou indiens, mais dans sa métamorphose en art bouddhique. »

1 Malraux, 1951.

Les fouilles de Balkh, d'Alfred Foucher à Roland Besenval

Philippe Marquis

Balkh, la « Mère des Cités », site aux nombreuses références littéraires et le plus convoité des savants étrangers, était une fouille obligée pour le premier directeur de la DAFA, Alfred Foucher.

Lorsqu'il arriva à Balkh, en novembre 1923, Foucher ne chercha cependant pas à dissimuler sa déception malgré la forte impression que lui firent les vestiges des murailles. Spécialiste de l'iconographie bouddhique, familier de la statuaire et de l'architecture en pierre, il ne pouvait qu'être désarmé face aux vestiges d'édifices en briques ou en argile crues qu'il observait. Le bilan qu'il fit des seize mois d'une campagne difficile est à l'image de ses premières impressions : « mitigé », pour ne pas dire « désabusé ». Pourtant les résultats obtenus étaient loin d'être aussi décevants qu'il ne semble l'avoir cru. Foucher, dans un premier temps, décida de porter ses efforts sur le site de Tepe Rostam, où il commença sa campagne de fouilles le 28 janvier 1924. Il y reconnut un grand stupa construit dans l'enceinte du monastère bouddhique considéré comme le plus important du nord de l'Afghanistan : le Nau Bahar {ill. 21}. Alfred Foucher, à demi-satisfait par ces premiers résultats, porta ensuite son attention sur l'Arg, la citadelle dominant le Bala Hissar (le fort de Balkh), ainsi que dans la partie basse du Bala Hissar. Dès le 13 avril 1924, un chantier fut ouvert dans la partie nord de l'Arg, le lendemain un deuxième dans sa partie sud, et le 15 mai 1924 un troisième, implanté dans une zone intermédiaire. Déçu par l'avancée des travaux qui ne révélaient que des constructions et aménagements d'époque islamique, Foucher décida de creuser une grande tranchée partant du bord nord de l'Arg et s'enfonçant sous le premier chantier. Il parvint ainsi à une profondeur de plus de dix-huit mètres sans pour autant pouvoir identifier et dater les niveaux les plus profonds qu'il avait atteints {ill. 20}. Foucher avait également envisagé d'entreprendre l'exploration d'une troisième zone de Balkh, Tepe Zargaran, au printemps 1925, mais il y renonça pour consacrer tous ses moyens à l'achèvement de la fouille de l'Arg. Pendant ce long séjour, il eut l'occasion de visiter certains sites de l'oasis de Balkh (Nadir Tepe, Cheshme Shafa) sans pour autant pouvoir les étudier ne serait-ce que succinctement. Au moment de quitter le site, il conclut de sa mission qu'il n'y avait rien à trouver ici. La notion de « mirage bactrien » était née. « Ce qui nous consolera d'être venus à Bactres, c'est que, si nous n'y étions pas venus, nous ne nous en serions jamais consolés », publie-t-il néanmoins en 1942[1].

ill. 19
Fouilles de l'Arg, l'escalier souterrain
Afghanistan, Balkh
Photographie Alfred Foucher, 1924-1925
Paris, MNAAG, archives photographiques, 86211-27

1 Foucher, 1942-1947.

ill. 20
Fouilles du stupa de Tepe Rostam
Afghanistan, Balkh
Photographie Alfred Foucher, 1924-1925
Paris, MNAAG, archives photographiques, 86112-13

→ ill. 21
Stupa de Tepe Rostam
Afghanistan, Balkh
Photographie Alfred Foucher, 1924-1925
Paris, MNAAG, archives photographiques, 86112-06

On doit à Rodney Young d'avoir mis en œuvre les méthodes de Sir Mortimer Wheeler et, par la stratigraphie, étudié la partie sud des murailles de Balkh. En un mois, à l'automne 1953, il réalisa un sondage stratigraphique sur la face intérieure du mur sud. Dans la publication qu'il fit de ses travaux[2], il individualisa sept phases chronologiques. Il datait la plus ancienne, correspondant à l'aménagement d'un premier mur de fortification, du IIe siècle de notre ère, et la finale, concernant un dernier réaménagement de la fortification, de la période timouride. Young considérait que les deuxième, troisième, quatrième et cinquième phases appartenaient à des constructions et réaménagements antéislamiques.

Dès 1947, la DAFA, alors dirigée par Daniel Schlumberger, reprit ses travaux dans la région de Balkh en prospectant en particulier les sites de l'oasis. De ce sujet qui l'intéressait beaucoup, il eut même l'occasion de discuter avec Sir Mortimer Wheeler, venu visiter la région lors de la mission qu'il effectua en 1947 pour l'Archaeological Survey of India. L'architecte Marc Le Berre commença à s'intéresser à son tour aux murailles de Bactres et aux divers sites de l'oasis[3] {ill. 22 et 23}. La parution en 1955 de l'article de Rodney Young, rendant compte de ses travaux et hypothèses sur le mur sud, contribua très fortement à une reprise des travaux sur l'ensemble du site. L'ambition de Schlumberger était alors d'en avoir une vision globale ; pour ce faire il entreprit de réaliser des séries de puits de sondage (71) dans toutes les zones où il espérait trouver des traces anciennes d'occupation {ill. 24}. Il pensait pouvoir ainsi reconstituer l'évolution chronologique et topographique des occupations anciennes du site. Les puits étaient creusés jusqu'à atteindre le sol géologique ou la nappe phréatique, et le

ill. 22
Tour du rempart sud, avec Ibrahim Khan, alors inspecteur des Antiquités
Afghanistan, Balkh
Photographie Marc Le Berre, non datée
Paris, Collège de France, archives, fonds Le Berre, IEI 039-NC04073LB

↗↗ ill. 23
Tours 3 et 4 du rempart timouride
Afghanistan, Balkh
Photographie Marc Le Berre, 1955
Paris, Collège de France, archives, fonds Le Berre, IEI 046-NC04174LB

→ ill. 24
Plan de Bactres
avec indications des sondages ouverts par Schlumberger lors de la fouille de 1947
D'après Le Berre et Schlumberger, 1964

2 Young, 1955.
3 Le Berre et Schlumberger, 1964.

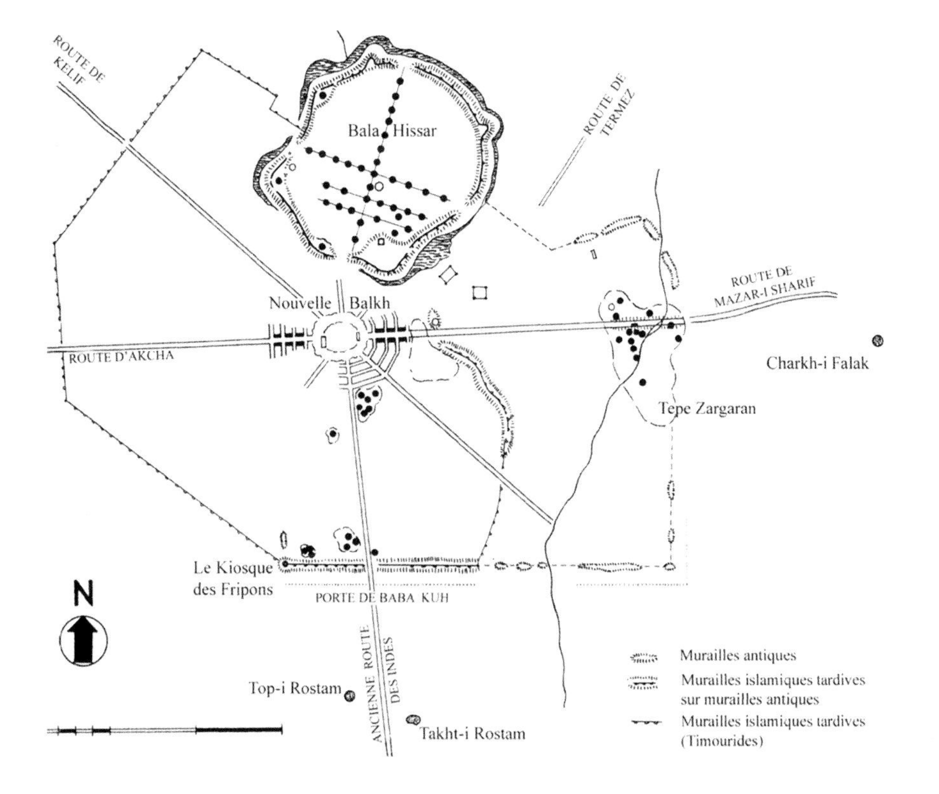

matériel archéologique en provenant était repéré en fonction de la profondeur à laquelle il avait été recueilli. Cette approche était ingénieuse mais ses résultats furent, aux yeux de Schlumberger, décevants : aucun des puits de sondage ne permit de trouver les éléments architecturaux en pierre qu'il recherchait, ni même d'identifier clairement les séquences d'occupation du site. Schlumberger résolut alors de privilégier une approche stratigraphique du site et confia à Jean-Marie et Geneviève Casal, formés à la méthode de Wheeler, le soin de mener deux grands sondages stratigraphiques sur le Tepe Zargaran. Certes, une fois de plus, aucune trace d'une architecture monumentale en pierre ne fut trouvée mais l'étude des tessons de céramique faite par Jean-Claude Gardin fournissait enfin des éléments de chronologie permettant de reconstituer la séquence d'occupation du site et d'établir son occupation au moins depuis la période achéménide[4]. C'est en 2003 que Roland Besenval, directeur de la DAFA, et Jean-François Jarrige, président du musée des arts asiatiques – Guimet, eurent la possibilité de se rendre à Balkh où la découverte d'éléments architecturaux hellénistiques avait été signalée. Provenant de fouilles menées clandestinement au Tepe Zargaran[5], ils témoignaient, enfin, de l'existence de bâtiments antiques en pierre, datables *a minima* du IIIe siècle av. J.-C. À partir de 2004 et jusqu'en 2009, campagnes de fouilles et prospections devaient s'enchaîner tant sur le site de Bactres lui-même que dans l'oasis alentour[6]. Les résultats obtenus venaient démontrer toute la richesse du potentiel archéologique de ce site.

4 Gardin, 1957a.
5 Besenval, Bernard et Jarrige, 2002.
6 Besenval et Marquis, 2007.

Tepe Zargaran

Philippe Marquis

ill. 25
Blocs et fûts de colonnes hellénistiques
Afghanistan, Balkh, Tepe Zargaran
Photographie Philippe Marquis, mission Roland Besenval, 2006

La « colline des orfèvres », située à l'est de la ville actuelle de Balkh, constitue la limite orientale d'un vaste ensemble archéologique couvrant un millier d'hectares. Alfred Foucher avait renoncé à y travailler en 1924-1925 et Daniel Schlumberger ne put y faire que des sondages limités en 1956. À partir de 1994, des vestiges dégagés lors de fouilles illégales avaient permis d'établir que ce site était susceptible de livrer des informations sur les occupations hellénistiques de la ville antique. En 2002, une reconnaissance menée par Roland Besenval et Jean-François Jarrige confirma ces informations et, dès 2004, une fouille fut entreprise dans deux secteurs du tepe. Elles devaient se poursuivre au rythme d'une ou deux campagnes par an jusqu'en 2008.

Le premier secteur, à proximité du village de Bagh-i Oraq, a livré les vestiges d'un stupa très endommagé par les pillages. Le second secteur étudié correspond à une zone connue sous le nom de Tepe Bout (« la colline aux statues ») ou Chehel Sotoun (« les quarante colonnes »). Il est limité à l'est par une portion du rempart de la ville antique. C'est de là que provenaient les blocs architecturaux hellénistiques.

L'interprétation des données recueillies lors des fouilles a été particulièrement difficile en raison des nombreux tunnels de pillards qui la parcouraient et des dommages causés aux aménagements anciens réalisés en pierre. Nous avons cependant pu établir que cette partie du site archéologique de Bactres avait été occupée, au moins, à partir du IVe siècle av. J.-C. et qu'elle correspondait à la limite est de la ville antique. Des installations réalisées avec des pierres de récupération provenant de monuments antiques y ont été dégagées. Les plus anciennes correspondaient à l'extrémité d'un grand canal construit au Ier siècle de notre ère. D'autres canaux plus petits et plus tardifs (IIIe siècle de notre ère), témoins d'une phase durant laquelle le grand canal était depuis longtemps comblé, ont également été dégagés. Ils passaient, selon toute vraisemblance, sous le rempart de la ville antique. Leurs parois étaient renforcées par des blocs de remploi provenant de monuments bouddhiques.

ill. 26
Zone d'habitat datant du IIe-Ve siècle
Afghanistan, Balkh, Tepe Zargaran
Photographie Philippe Marquis, mission Roland Besenval, 2008

Aï Khanoum

Olivier Bordeaux

Le site archéologique d'Aï Khanoum (la « Dame Lune » en ouzbek) se situe au nord-est de l'Afghanistan, à la confluence de l'Amou-Daria (Pandj) et de la Kokcha, et s'étend sur environ deux cents hectares. Il s'agit de la première ville véritablement hellénistique fouillée dans ce pays, mettant fin à un demi-siècle de réalité élusive et de « mirage bactrien », selon l'expression d'Alfred Foucher[1].

Le site a été repéré pour la première fois en 1926 par Jules Barthoux[2], alors archéologue et géologue auprès de la DAFA, mais retombe rapidement dans l'oubli. Il faut attendre 1961 pour qu'Aï Khanoum soit de nouveau identifiée lors d'une partie de chasse du roi d'Afghanistan, Zaher Shah, qui en informe la DAFA. C'est le point de départ de seize campagnes de fouilles réparties sur treize années, de 1965 à 1978, sous la direction de Paul Bernard, soit la plus longue fouille française menée en Afghanistan[3].

Fondée au tournant du IVe siècle avant J.-C., Aï Khanoum comporte une acropole et une ville basse où l'on a identifié un complexe palatial avec trésorerie, un théâtre, un gymnase, deux temples et plusieurs quartiers d'habitation. L'ensemble est protégé par de hauts remparts, au-delà desquels la plaine agricole est également mise en valeur grâce à de nombreux canaux d'irrigation. On ne saurait sous-estimer l'importance de la découverte d'Aï Khanoum pour l'étude de l'histoire des colons grecs et macédoniens en Asie centrale : l'absence de réoccupation ultérieure du site a permis de livrer aux archéologues son dernier grand état architectural, fournissant ainsi un éblouissant exemple de l'hellénisme oriental. De nombreux documents en grec sont mis au jour, attestant l'utilisation de cette langue à des fins publiques et privées.

Alors que les archéologues croyaient avoir affaire à une ville typiquement hellénistique, Aï Khanoum révèle de fortes influences orientales à mesure de l'avancée des fouilles, en particulier sur les plans architectural (temple à niches indentées et temple hors-les-murs) et religieux (cultes possibles de Zeus-Mithra et de Cybèle)[4]. Devenue ville royale sous Eucratide Ier (171-145 av. J.-C.), Aï Khanoum ne résiste pas à la chute progressive de la Bactriane sous les assauts des Sakas (Scythes) venus des steppes, puis des Yuezhi venus de Chine occidentale : elle est abandonnée par la population gréco-bactrienne peu après 145 avant J.-C.

La ville comporte de nombreux décors architecturaux typiquement hellénistiques (chapiteaux en pierre des trois ordres, antéfixes ailées ou à palmettes), ainsi que des sculptures en calcaire et acrolithes, dont la statue du temple à niches indentées. Outre les découvertes de monnaies, essentiellement

ill. 27
Temple aux niches indentées
Afghanistan, Aï Khanoum
Photographie mission Paul Bernard, entre 1968 et 1973
Paris, MNAAG, archives photographiques, 7336

1 Foucher, 1942-1947, p. 73-75.
2 Tarzi, 1996.
3 Lecuyot, 2014.
4 Francfort, 1984.

de bronze, faites sur le site, deux trésors témoignent de la circulation des biens le long des routes de la soie. La mise au jour de flans monétaires vierges et de lingots d'argent dans la trésorerie vient par ailleurs confirmer l'existence d'un atelier monétaire sur place[5]. La production matérielle est également très conséquente, avec une industrie céramique dont la masse se quantifie en tonnes. Enfin, de nombreux objets en provenance du monde indien – plaque en ivoire, monnaies – témoignent de la vivacité des contacts avec ces territoires.

Le nom antique de la ville n'est pas connu avec certitude, mais on trouve mention chez Strabon d'une Eucratidéia qui pourrait être Aï Khanoum[6]. Bien que située très à l'est dans la vallée de l'Oxus, à la limite des hautes régions montagneuses de l'Hindou Kouch oriental et du Pamir, la ville se trouve à proximité de richesses naturelles particulièrement abondantes : or, grenat, lapis-lazuli. Sa disparition sonne le glas de la présence hellénistique en Bactriane.

À partir de 1974, suite à la mise à disposition de cartes soviétiques au 1/10 000, la prospection raisonnée de la plaine de Dasht-i Qala qui entoure la ville est organisée par Jean-Claude Gardin, Pierre Gentelle et Bertille Lyonnet[7]. Les recherches se concentrent sur la localisation des sites et des canaux d'irrigation durant trois campagnes, de 1974 à 1976, démontrant l'existence d'un réseau d'irrigation créé durant la période hellénistique.

La chute du royaume gréco-bactrien, dans la seconde moitié du IIe siècle avant J.-C., ne signifie nullement la disparition de l'hellénisme en Bactriane : son héritage se maintient durant plusieurs siècles à travers son art, son architecture, son alphabet et sa culture matérielle. La ville d'Aï Khanoum vient ainsi nous rappeler les formes les plus remarquables prises par cet hellénisme en Asie centrale.

---

5 Bernard, 1985.
6 Rapin, 1992, p. 293.
7 Gentelle, 1989 ; Lyonnet, 1997 ; Gardin, 1998.

→ ill. 32
Portique à colonnes du palais
Afghanistan, Aï Khanoum
Photographie mission Paul Bernard, 1968
Paris, MNAAG, archives photographiques, 13441

PAGE 66

↖ ill. 28
Mosaïque du palais
Afghanistan, Aï Khanoum
Photographie mission Paul Bernard, 1968
Paris, MNAAG, archives photographiques, 14356

← ill. 29
Décadrachme d'Alexandre le Grand
Atelier incertain, 331-323 av. J.-C.
Argent ; D. 4 cm / 39,88 g
Paris, Bibliothèque nationale de France, 1978.21

← ill. 30
Statère d'Antiochos Ier Sôter ; au revers, Apollon assis sur l'omphalos
Bactriane, Aï Khanoum, 276-261 av. J.-C.
Or ; D. 1,7 cm / 8,41 g
Paris, Bibliothèque nationale de France, Babelon 112

← ill. 31
Tétradrachme d'Eucratide Ier
Atelier incertain, vers 171-139 av. J.-C.
Argent ; D. 3,4 cm / 16,30 g
Paris, Bibliothèque nationale de France, R 3681,108

UNE TERRE D'ÉCHANGES

Les fouilles de la DAFA, 1922-1942

Nicolas Engel

En Europe, c'est par des expositions consacrées à l'art du Gandhara que l'on prend connaissance de la période bouddhique de l'Afghanistan dans la seconde moitié du XIXe siècle, à Londres en 1866, à Vienne en 1873, à Florence en 1878, sans oublier les premières collections constituées par les explorateurs ayant eu l'occasion de s'aventurer en Afghanistan, tel Charles Masson de 1833 à 1838, officiellement employé par la Compagnie britannique des Indes orientales pour collecter des antiquités[1].

Alfred Foucher, premier directeur de la DAFA, indianiste de formation, porte un intérêt marqué au bouddhisme ancien et à l'art du Gandhara, dont il a pu parcourir les sites dans la North-West Province de l'Inde britannique, lors de missions à la toute fin du XIXe siècle avant d'être invité par John Marshall, en 1919, à travailler à Taxila. Si la Commission des fouilles de l'Afghanistan[2], autorité de tutelle de la DAFA, refuse le projet de Foucher de mener des fouilles en Kapisa, aux environs de Kaboul et à Hadda, le poussant à investir le site de Balkh, les premiers travaux et prospections de la DAFA concernent, dès 1922-1924, la période bouddhique de l'Afghanistan et plus largement le premier millénaire de notre ère.

La région de Kaboul est la première à être visitée par Foucher, suivie par Bamiyan, où, avec l'aide d'André Godard et de sa femme, les hypogées bouddhiques sont relevés et certaines peintures, copiées. Foucher et Godard parcourent ensuite le Kapisa, au nord de Kaboul, cherchant à y identifier les monastères visités par le pèlerin chinois Xuanzang (602-664) en 629. À partir de février 1923, Godard effectue quelques sondages sur les stupas de Hadda, près de l'actuelle ville de Jalalabad. La mission menée en 1924 par Gabriel Jouveau-Dubreuil, archéologue présenté comme spécialiste de l'hindouisme, donne lieu à une nouvelle prospection en Kapisa, sur les sites de Païtava et de Begram, dont les résultats, trop peu nombreux selon lui, ne seront jamais publiés. À Balkh, qu'il rejoint finalement en novembre 1924, Foucher identifie à Tepe Rostam, au sud du Bala Hissar dont les vestiges hellénistiques lui échappent, un vaste stupa.

Le départ d'Afghanistan de Foucher en 1925 n'entrave en rien les travaux, qui continuent sous la direction de Joseph Hackin, assisté de l'architecte Jean Carl, de Jules Barthoux, Jacques Meunié et Roman Ghirshman. En 1925, Barthoux exhume le monastère de Karratcha, en Kapisa encore. Dans les années 1926-1928, Barthoux reprend des fouilles à Hadda, sur douze sites monastiques distincts. Constatant à son arrivée que les stupas dégagés par Godard ont été détruits et devant faire face à plusieurs reprises à l'hostilité de la population locale, qui refuse le dégagement d'« idoles » voire détruit les vestiges à peine exhumés, il reçoit l'appui des autorités de Kaboul, qui n'hésitent pas à recourir à la force. La DAFA reprend en 1930 la documentation et l'étude des peintures

PAGE PRÉCÉDENTE
Génie aux fleurs
(détail de l'ill. 43)

ill. 33
Bodhisattva debout
Gandhara, Shahbaz Garhi, Ier-IIe siècle
Schiste ; H. 120 ; L. 42 ; P. 15 cm
Paris, MNAAG, mission Alfred Foucher (1898), AO 2907

1 Errington, 2017.
2 Commission instituée par arrêté du 18 janvier 1923 ; parmi les personnalités scientifiques figurent Émile Senart, Paul Pelliot, Louis Finot, Sylvain Levi, René Dussaud, Edmond Pottier ; en 1926, Émile Senart, Sylvain Levi, Paul Pelliot, Paul Boyer, Joseph Hackin, André Godard (Bernard, 2002).

des grottes des bouddhas de Bamiyan, menées par Joseph et Ria Hackin avec l'aide de Jean Carl. En 1933 et 1934, Joseph Hackin, de retour de Tokyo où il dirigeait depuis 1930 la Maison franco-japonaise, et Carl fouillent à Kaboul la partie haute du site de Tepe Marenjan et celui de Khair Khane. En 1937, les travaux portent de nouveau sur le Kapisa : Jacques Meunié, second architecte, y dégage le monastère bouddhique de Shotorak. La même année, Hackin, qui depuis 1934 est directeur de la DAFA, entreprend de fouiller le site de Begram. Son ambition est d'en faire l'équivalent de Taxila, au Pakistan, en mettant au jour une ville entière… La découverte du « trésor de Begram », en 1937 et 1939, modifie ce projet, le dégagement des œuvres devenant prioritaire. En parallèle, la fouille du monastère bouddhique de Fondukistan, sur une des routes reliant Kaboul à Bamiyan, est menée par Carl, architecte de la DAFA, suite à la découverte fortuite de sculptures. Des travaux sont également entrepris en 1939 et 1940 par Meunié et Carl sur des sites monastiques voisins de Kapisa.

Quand éclate la Seconde Guerre mondiale, pendant laquelle l'Afghanistan, sur lequel règne depuis 1933 Zaher Shah (1914-2007), opte pour la neutralité, l'engagement des membres de la DAFA – de Joseph et Ria Hackin mais aussi de Jean Carl – en faveur de la France Libre entraîne leur départ pour Londres. La bibliothèque et les archives de la DAFA sont confiées à la légation britannique à Kaboul. Le couple Hackin décède le 20 février 1941 dans le torpillage du navire sur lequel il se trouve en mission pour la France Libre.

Roman Ghirshman, nommé directeur de la DAFA en 1941, reprend les fouilles de Begram. Il cherche à y étayer la stratigraphie et à mettre en rapport les différents chantiers ouverts entre 1937 et 1940. Révoqué par le gouvernement français de Vichy en décembre 1942, il quitte en 1943 Kaboul pour Le Caire, où il est hébergé par l'Institut français d'archéologie. Les locaux et le matériel de la DAFA sont placés sous la garde de la légation de Turquie, seule légation étrangère neutre à Kaboul.

Les travaux des membres de la DAFA de 1922 à 1942 sont ainsi multiples. Ils portent tous, à l'exception des recherches de vestiges hellénistiques à Bactres en 1924-1925, sur la période durant laquelle le bouddhisme se développe en Afghanistan, dans les régions de Jalalabad, Kaboul, Kapisa et Bamiyan. Leur publication, pour l'immense majorité dans les *Mémoires de la DAFA*, dont le premier volume est édité en 1928[3], est de nature diverse : catalogue d'objets, synthèse des connaissances se voulant aussi complète que possible sur un sujet donné, ou rapports préliminaires et plans sans commentaires publiés de façon posthume, la documentation ayant été perdue. Les appétences de chacun des auteurs et leur relation au bâti, à l'objet et au bouddhisme entrent également en ligne de compte au moment de la rédaction des *Mémoires*.

ill. 34
Reliquaire et son contenu
Afghanistan, Darunta, stupa de Passani, tumulus 2, IIe siècle
Stéatite (reliquaire), objets en or, pierres précieuses, perle, os et six monnaies de Wima Takto (90-113) ; H. 17,3 ; D. 16,6 cm
Découvert par Charles Masson entre 1833 et 1838
Londres, British Museum, achat (1880), 1880.98

3 Godard, Godard et Hackin, 1928 ; le tome XXXIV, dernier en date, a paru en 2016.

Hadda

Pierre Cambon

C'est à Hadda que le pèlerin chinois Xuanzang (602-664) situe la grotte de l'Ombre du Bouddha, où le fidèle, à force de concentration, fait apparaître la vision du Bouddha trônant en majesté au sein d'une assemblée. L'image s'efface quand la tension se relâche, laissant la roche peu à peu resurgir. Et Xuanzang de décrire la cité de Hadda, près de Jalalabad, où aurait eu lieu la rencontre de l'étudiant Megha et d'un bouddha du passé, Dipankara, qui lui prédit sa renaissance comme Shakyamuni. Hadda est donc une étape importante pour Xuanzang et celui-ci en évoque les nombreux monastères, qui relèvent encore de la doctrine *hinayana*. Le site sera visité dans les années 1830 par l'aventurier américain Charles Masson (1800-1853), entré clandestinement dans le royaume afghan sur fond de manœuvres politiques, quand l'Inde britannique envisage sérieusement une expédition sur Kaboul pour contrer l'intervention des Russes. Féru d'antiquités, Masson se passionne aussi pour l'archéologie et entreprend de sonder les différents stupas aux allures de colline, qu'il prend pour des tombeaux[1]. De ces repérages sont issues les premières collections afghanes du British Museum, essentiellement des monnaies, avec des reliquaires trouvés au sein des monuments {ill. 34}.

C'est en raison de ces témoignages qu'Alfred Foucher (1865-1952) entend gagner Hadda, quand il se retrouve en 1922 missionné par le ministère français des Affaires étrangères pour fonder la DAFA. Il s'y rend en 1923, avec André Godard (1881-1965), et fait quelques sondages au monastère de Tapa Kalan, dégageant des chapelles qu'occupent des stupas en stuc, au sud de la cour du stupa principal, TK68. Ces travaux sont repris en 1926 par Jules Barthoux (1881-1965), quand celui-ci prend le relais après le départ de Foucher. Barthoux est géologue de formation et a l'habitude du terrain pour avoir travaillé en Égypte et en Afrique du Nord. Il va mener, seul, les recherches à Hadda de 1926 à 1928, enchaînant une série impressionnante de fouilles[2] – monastères de Tapa Kalan (TK), Bagh Gaï (B), Tapa-i Kafariha (K),

ill. 35
Tête de Bouddha
Afghanistan, Hadda, monastère de Tapa Kalan, stupa TK141, IIIe-IVe siècle
Stuc, traces de polychromie ; H. 19 ; L. 11 ; P. 12 cm
Paris, MNAAG, fouilles de la DAFA, mission Jules Barthoux (1926-1927), MG 17196

1 Wilson, 1841.
2 Barthoux, 1930, 1933.

↑ ill. 36
Tête de Bouddha
Afghanistan, Hadda, monastère de Tapa Kalan, stupa TK62, IIIe-IVe siècle
Stuc, traces de polychromie ; H. 33 ; L. 19 ; P. 20 cm
Paris, MNAAG, fouilles de la DAFA, mission Jules Barthoux (1926-1927), MG 17285

↗ ill. 37
Tête féminine au turban
Afghanistan, Hadda, monastère de Tapa Kalan, stupa TK67, IIIe-IVe siècle
Stuc ; H. 12 ; L. 7 ; P. 6 cm
Paris, MNAAG, fouilles de la DAFA, mission Jules Barthoux (1926-1927), MG 17124

→ ill. 38
Squelette
Afghanistan, Hadda, monastère de Tapa Kalan, stupa TK68, IIIe-IVe siècle
Stuc ; H. 11 ; L. 6 ; P. 5 cm
Paris, MNAAG, fouilles de la DAFA, mission Jules Barthoux (1926-1927), MG 17332

↑ ill. 40
Tête dite « de Gaulois »
Afghanistan, Hadda, monastère de Bagh Gaï, stupa B56, IIIe-IVe siècle
Stuc ; H. 10,5 ; L. 6,5 ; P. 6 cm
Paris, MNAAG, fouilles de la DAFA, mission Jules Barthoux (1926-1927), MG 17345

↗ ill. 41
Tête d'ascète
Afghanistan, Hadda, monastère de Tapa Kalan, stupa TK67, IIIe-IVe siècle
Stuc ; H. 11 ; L. 7,5 ; P. 8,8 cm
Paris, MNAAG, fouilles de la DAFA, mission Jules Barthoux (1926-1927), MG 17140

← ill. 39
Tête de démon
Afghanistan, Hadda, monastère de Tapa Kalan, stupa TK68, IIIe-IVe siècle
Stuc ; H. 10 ; L. 8 ; P. 6,5 cm
Paris, MNAAG, fouilles de la DAFA, mission Jules Barthoux (1926-1927), MG 17116

→ ill. 42
Tête de démon
Afghanistan, Hadda, monastère de Tapa Kalan, stupa TK68, IIIe-IVe siècle
Stuc ; H. 10 ; L. 7,5 ; P. 6 cm
Paris, MNAAG, fouilles de la DAFA, mission Jules Barthoux (1926-1927), MG 17344

Chakhil-i Ghoundi (C), Deh Ghoundi (D), Gar Nao (G) et Prates (P) –, et ce même si la première campagne s'avère problématique. Les bouddhas exhumés sont en effet détruits par les habitants du village voisin, la région, loin du pouvoir central, rurale et fondamentaliste, étant rétive à toute intrusion étrangère. Barthoux, cependant, ne se décourage pas et reprend les fouilles de Tapa Kalan en 1927, dégageant la cour du stupa TK68, occupée par une myriade de stupas votifs. Il en prélève deux pour le lot attribué à la France afin de les voir remonter au musée Guimet à Paris. Il exhume ensuite au sud du complexe les cours des stupas TK140 et TK141. C'est de la première que vient le buste du Génie aux fleurs aujourd'hui à Paris (niche TK142) {ill. 43}.

Les fouilles de Hadda sont ainsi la révélation d'un stuc gréco-afghan bien plus hellénisant que l'art du Gandhara, et qui répond à l'ouest aux fondations bouddhiques du site de Taxila, non loin d'Islamabad – que fouille alors Sir John Marshall (1876-1958) pour l'Archaeological Survey of India –, avec, toutefois, une inventivité dans l'évocation des personnages secondaires spécifique à Hadda, où un réalisme souvent inattendu annonce à sa façon l'art médiéval d'Occident. Le stuc y est majoritaire mais Barthoux souligne la diversité des matériaux et celle des styles, suggérant une chronologie et une période d'activité très longue du site : ponctuellement, des bas-reliefs en schiste d'une facture gandharienne dans sa phase très ancienne, qui rappelle la sculpture de Sanchi du Ier siècle av. J.-C. et l'art gréco-romain (K), ou sur un mode standard, typique du IIIe siècle (B), voire des éléments en stéatite à la manière du Swat (TK140) ; il mentionne aussi le calcaire : escalier menant à la plate-forme du stupa C1, où des scènes de musique et de danse illustrent le monde grec, à côté du Sibi Jataka, évoqué à l'indienne, sur un mode archaïque, quand la base du stupa K20, avec ses éléphants et ses cornacs {ill. 13}, est l'écho d'un thème sculpté à Sahr-i Bahlol dans le schiste (IVe-Ve siècle). Enfin, à côté du stuc existe aussi un modelage en terre (K), associé à la phase finale d'occupation du site, avec un décor de chapelles aux bouddhas assis à l'européenne et aux figures de taille monumentale.

Cette complexité du site, que d'aucuns voient actif du Ier jusqu'au VIIe siècle, et où Barthoux dégage des fresques (B56), sera confirmée dès 1966 par les fouilles afghanes que mènent Shaibai Mostamandi[3], puis Zemaryalaï Tarzi[4] : niche aquatique de Tapa Shotor au décor animé comme la scène d'un théâtre, préfigurant Fondukistan ; chapelle de méditation (VIe siècle), avec son assemblée de moines que préside un squelette, peinte sur les parois ; niches au décor en terre crue qui bordent la grande cour, où le bouddha assis (niche V2) est flanqué d'un Vajrapani-Héraklès et de la déesse Shri, qui tient la corne d'abondance, tous deux reprenant l'imagerie grecque du royaume de Bactriane (IIIe siècle av. J.-C.) {ill. 47 et 48}. D'après Tarzi, ce décor en terre serait d'époque kouchane (IIe siècle), quand l'apogée du stuc révélé par Barthoux témoigne des Chionites-Hephtalites (IVe-VIe siècle). Selon Sir John Marshall, l'école du stuc à Taxila et à Hadda est un chapitre en soi, sans rapport avec les schistes gandhariens, qui aurait pris fin au Ve siècle avec les invasions hunniques. Pour Foucher, en revanche, il n'y a pas de rupture, malgré l'aspect répétitif des litanies de bouddhas, déclinés dans le stuc, et le côté elliptique des scènes représentées : l'utilisation du stuc, à ses yeux, perdure jusqu'au VIIIe siècle.

ill. 43
Génie aux fleurs
Afghanistan, Hadda, monastère de Tapa Kalan, stupa TK142, IIIe-IVe siècle
Stuc ; H. 55 ; L. 40 ; P. 25 cm
Paris, MNAAG, fouilles de la DAFA, mission Jules Barthoux (1926-1927), MG 17190

3 Mostamandi et Mostamandi, 1969.
4 Tarzi, 1976.

→ ill. 45
Fragment de chambranle à décor de stupa
Afghanistan, Hadda, monastère de Tapa-i Kafariha, IIe-IIIe siècle
Schiste ; H. 17,5 ; L. 13,2 ; P. 7,7 cm
Paris, MNAAG, fouilles de la DAFA, mission Jules Barthoux (1926-1927), MG 17200

↘ ill. 46
Tête féminine, Salabhanjika
Afghanistan, Hadda, monastère de Tapa-i Kafariha, IIIe siècle
Stuc, grès, traces de polychromie ; H. 23 ; L. 10 ; P. 13 cm
Paris, MNAAG, fouilles de la DAFA, mission Jules Barthoux (1926-1927), MG 17203

ill. 44
Le premier sermon et l'offrande de la poignée de poussière
Afghanistan, Hadda, monastère de Chakhil-i Ghoundi, IIIe-IVe siècle
Calcaire, traces de polychromie ; H. 37 ; L. 24 ; P. 6 cm
Paris, MNAAG, fouilles de la DAFA, mission Jules Barthoux (1926-1927), MG 17443

ill. 47
Sculpture de Vajrapani-Héraklès
Afghanistan, Hadda, Tapa Shotor, niche V2
Photographie Gérard Fussman, 1978
Paris, Collège de France, archives, fonds Fussman, IEI 202-CC02266AF

ill. 48
Sculpture de Tyché-Hariti
Afghanistan, Hadda, Tapa Shotor, niche V2
Photographie Gérard Fussman, 1978
Paris, Collège de France, archives, fonds Fussman, IEI 205-CC02265AF

Les monastères des régions de Kapisa et Kaboul

Nicolas Engel

ill. 49
Bouddha au grand miracle, ou miracle de Shravasti
Afghanistan, Païtava, IIIe-IVe siècle
Schiste, traces de dorure ; H. 80 ; L. 45 ; P. 13 cm
Paris, MNAAG, fouilles de la DAFA, mission Joseph Hackin (1924), MG 17478

Les explorateurs Charles Masson puis Martin Honigberger avaient exploré ces deux régions au XIXe siècle, laissant de précieuses observations sur les monuments visités et leur environnement[1]. Dès 1922, Alfred Foucher et André Godard parcourent à leur tour l'historique région de Kapisa, au nord de Kaboul, aussi appelée Koh-e Daman puis Shamali. Ils cherchent à y identifier les monastères bouddhiques visités ou indiqués par le pèlerin chinois Xuanzang alors qu'il y séjourne trois mois à l'été 628. Car Xuanzang, dont les souvenirs de voyage sont mis par écrit à son retour en Chine en 645, rapporte qu'il y avait ici plus de cent monastères en activité, abritant quelque six mille moines principalement adeptes du bouddhisme *mahayana* ; il mentionne aussi l'existence de communautés hindouistes. Aussi, invoquant la richesse des vestiges observés et le moindre coût d'une opération située à proximité de la capitale plutôt qu'à Bactres, Foucher défend rapidement une proposition de fouilles dans les régions de Kaboul et de Kapisa, prolongements du Gandhara en terre afghane.

Diverses fouilles de la DAFA s'échelonnent donc de 1924 à 1940, menées par Joseph Hackin avec l'aide de Gabriel Jouveau-Dubreuil, Jules Barthoux, Jean Carl et Jacques Meunié : en Kapisa, le monastère de Païtava en 1924, celui de Karratcha en 1925, celui de Shotorak en 1937, et ceux de Qol-e Nader, Tope et Tepe Kalan, près de Begram, en 1939-1940 ; plus proche de Kaboul, le site de Khair Khane en 1934 ; à Kaboul même, le monastère de Tepe Marenjan en 1933. S'y ajoutent les prospections de nombreux sites au sud de la capitale, à Goldara, Shewaki, Kamari et Seh Topan, où d'importants vestiges de stupas sont visibles, et les découvertes fortuites comme celle d'une cinquantaine de têtes sculptées à Tepe Khazana à Kaboul en 1930 ou 1935[2].

Les travaux archéologiques ne reprendront à Kaboul que dans les années 1980, à Tepe Marenjan encore avec une fouille de l'Institut national d'archéologie afghan (INA). Suivront dans les années 2000 et 2010 les travaux de Zafar Païman, en partenariat avec l'INA et la DAFA, sur les sites de Kundjukaï, Tepe Narenj, Khwaja Safa et Qol-e Tut. Quant à la question

1 Wilson, 1841 ; Jacquet, 1836, 1837 et 1839.

2 Tissot, 2006, p. 347-351.

de la restauration des vestiges visibles ou mis au jour, en particulier celle des stupas et de leur plate-forme, elle ne s'impose pas avant les années 1960 et les grandes directives de l'Unesco en la matière, revenant avec force ces dernières années grâce au soutien financier de la fondation ALIPH.

Païtava est donc le premier monastère bouddhique fouillé par la DAFA, en 1924. L'objectif assumé est d'en exhumer des œuvres pour le musée Guimet et celui de Kaboul. À l'occasion de travaux d'irrigation en 1914, quelques sculptures y avaient été trouvées accidentellement, dont la stèle en schiste du Miracle de Shravasti offerte au musée de Berlin en 1929 par le roi Amanullah, alors en voyage en Europe[3]. Le corpus sculpté en schiste de Païtava, enrichi des découvertes des monastères bouddhiques de Kapisa et de Kaboul, s'il relève de l'art du Gandhara, en diffère cependant profondément. Il présente en lui-même tant d'analogies stylistiques que l'on peut parler d'un « atelier de Païtava » bien qu'aucun atelier de taille n'y ait été découvert : représentations frontales, silhouettes raides, composition conventionnelle des figures, absence de ronde-bosse[4]. Les analyses des schistes conservés au MNAAG concluent en outre à une utilisation privilégiée d'un schiste quartzeux, calcaire et chloriteux dit « schiste vert », par opposition au schiste sombre à chloritoïde de la majorité des sculptures de la région de Hadda ou du Gandhara côté pakistanais[5].

---

3 Cambon, 1996.
4 Fussman, 2008, p. 151-152 ; Pons, 2019.
5 Cambon et Leclaire, 1999, p. 141, reprenant l'étude de Louis Courtois (Courtois, 1962-1963).

← ill. 50
Dipankara Jataka
Afghanistan, monastère de Shotorak, IIe-IIIe siècle
Schiste ; H. 38 ; L. 21 ; P. 8,5 cm
Paris, MNAAG, fouilles de la DAFA, mission Jacques Meunié (1936-1937), MG 21148

ill. 51
L'invitation à la prédication
Afghanistan, monastère de Karratcha, IIe siècle
Schiste ; H. 38 ; L. 51 ; P. 10 cm
Paris, MNAAG, fouilles de la DAFA, mission Joseph Hackin (1928), MG 17474

ill. 52
Triade bouddhique, le moine et le laïc
Afghanistan, monastère de Shotorak, IIe-IIIe siècle
Schiste ;
H. 20 ; L. 35,3 ; P. 15 cm
Paris, MNAAG, fouilles de la DAFA, mission Jacques Meunié (1936-1937), MG 21157

ill. 53
Bodhisattva assis sur un trône aux lions
Afghanistan, monastère de Shotorak, IIe-IIIe siècle
Schiste ;
H. 49,8 ; L. 46,6 ; P. 9 cm
Paris, MNAAG, fouilles de la DAFA, mission Jacques Meunié (1936-1937), MG 18961

ill. 54
Tête de Bouddha
Afghanistan, Kaboul, Tepe Khazana, Ve siècle
Terre crue ; H. 9 ; L. 6 ; P. 5,2 cm
Paris, MNAAG, découverte fortuite (1934), MG 18566

ill. 55
Le paradis de Maitreya
Afghanistan, monastère de Shotorak, IIe-IIIe siècle
Schiste ; H. 29,7 ; L. 43,8 ; P. 15,9 cm
Paris, MNAAG, fouilles de la DAFA, mission Jacques Meunié (1936-1937), MG 18962

Khair Khane

Nicolas Engel

À 12 kilomètres au nord-ouest de Kaboul, sur le piémont oriental du Koh-e Daman et à l'extrémité d'un éperon rocheux, le site de Khair Khane est repéré dès 1923 par Alfred Foucher. Fouillé par Joseph Hackin et Jean Carl en 1934, il est aujourd'hui détruit en raison de l'élargissement de la route Kaboul-Charikar-Begram.

« Ce site n'a absolument rien de bouddhique, je veux dire : ni bouddha, ni bodhisattva, ni aucune figure de moi connue. Du marbre blanc ! Qu'est-ce à dire ? Ni arc, ni voûtes, ni coupoles ? » s'étonne Carl dans un de ses courriers à Hackin en 1934. La nature cultuelle du site est néanmoins évidente dès le début des travaux. Sur une terrasse est édifié un « sanctuaire primitif ». Comblé de déblais, il sert ensuite de fondation à la construction des « trois sanctuaires », pièces aux dimensions quasi identiques, chacune pourvue d'un podium, séparées par des couloirs permettant une circumambulation et ouvrant sur une cour. D'autres vestiges partiellement dégagés correspondent aux logements des moines et à des communs. En contrebas, une structure circulaire avec un massif rectangulaire est identifiée comme un sanctuaire[1].

Les seules sculptures découvertes, comme le souligne Carl, sont en marbre blanc ; leur iconographie est hindouiste {ill. 56} ; le matériau et le sujet sont alors nouveaux pour les archéologues de la DAFA. Il s'agit, dans l'une des trois chapelles, de Skanda accompagnant vraisemblablement Shiva dont ne subsistent que les pieds ; dans un des couloirs adjacents, du dieu solaire Surya assis sur son char conduit par le cocher Aruna, et entouré de Pingala et Nanda ; dans la cour, d'un fragment de nimbe. En 1980 est découverte non loin et de façon fortuite une sculpture de marbre blanc de plus grande ampleur, représentant le dieu soleil Surya debout et flanqué de Pingala et Nanda. Le hiératisme des figures, la subtilité des drapés et la grande maîtrise technique que manifeste la taille des ornements, évoquant le traitement de la sculpture de Skanda, laissent penser qu'elles pourraient être de la même main[2].

Des années 1950 à 1980, plusieurs sculptures en marbre à l'iconographie brahmanique ont été trouvées dans l'est de l'Afghanistan. La plupart d'entre elles n'ont aucun contexte archéologique, le seul autre site hindouiste fouillé étant celui de Tepe Skandar, également sur le piémont oriental du Koh-e Daman, où travaille de 1970 à 1978 une mission japonaise de l'Université de Kyoto, dirigée par Takayasu Higuchi et Shoshin Kuwayama. Hackin, Schlumberger puis Kuwayama, entre autres, ont tenté chacun à son tour[3], au fur et à mesure de l'enrichissement de ce corpus, d'en préciser la datation sur une base iconographique en cherchant des rapprochements avec l'Inde et l'Iran. La fourchette chronologique suggérée par Kuwayama pour ces sculptures en marbre, du début du VIIe siècle à la fin du VIIIe siècle, s'appuie sur ses études menées à l'échelle de la région de Kapisa-Kaboul-Ghazni. Il propose par ailleurs d'identifier le site de Khair Khane avec le mont Congling, qui devient entre 606 et 629 le mont Aruna, et date par conséquent la construction des « trois sanctuaires » du début du VIIe siècle.

ill. 56
Avalokiteshvara
Afghanistan, Khair Khane, VIIe-VIIIe siècle
Marbre blanc ; H. 23,5 ; L. 14,5 ; P. 6,5 cm
Paris, MNAAG, don de Holge Kulke (2003), MA 8151

---

1 Hackin, 1936.
2 Bernard et Grenet, 1981.
3 Hackin, 1936, p. 6-7 ; Schlumberger, 1955 ; Kuwayama, 1976 ; Kuwayama, 1991.

ill. 57
Site de Khair Khane
Reconstitution
par Jean Carl, 1935
Huile sur toile ; H. 121 ;
L. 241 cm
Paris, MNAAG, fouilles
de la DAFA, mission Jean
Carl (1934), 3505

Bamiyan

Nicolas Engel

Les premiers voyageurs occidentaux – des marchands tels William Moorcroft et George Trebeck en 1824, des explorateurs quelque peu agents secrets tel Alexander Burnes en 1832 pour l'Indian Political Service – découvrent Bamiyan au début du XIXe siècle. Les habitants rattachent les deux colosses dominant la vallée à un monde merveilleux : ce sont Salsal, un guerrier à l'armure magique qui a résisté aux armées musulmanes avant de reconnaître l'islam et de devenir le protecteur du peuple de Bamiyan, et Shamama, sa femme. Bouddha se dit *bud* ou *but* en persan, qui signifie aussi idole. Depuis l'islamisation progressive de l'Hindou Kouch central, aux IXe et Xe siècles, les statues ont perdu toute connotation bouddhique ; les grottes servent de greniers à blé, d'étables, ou d'habitations dans lesquelles des braséros servent à se chauffer et à cuisiner. Charles Masson, qui cherche là des antiquités en 1835, est le premier à reconnaître en elles des figures de bouddhas. En 1886, le capitaine Maitland en fait un dessin assez exact. L'image des bouddhas de Bamiyan se diffuse, relayée par la photographie.

La DAFA arrive à Bamiyan quelques mois après sa création en 1922. André Godard et Joseph Hackin établissent un premier relevé des grottes et des peintures murales. Hackin, son épouse Ria et l'architecte Jean Carl poursuivent en 1930 l'étude et la documentation des deux bouddhas de 38 et 55 mètres de haut et du décor peint. Un premier sondage est aussi mené sur la colline de Shahr-e Gholghola, qui fait face à la falaise.

Dès 1951 puis dans les années 1960 et 1970, diverses courtes missions archéologiques mènent à Bamiyan des prospections et des sondages, dans la vallée[1] ou au niveau des avant-bras du bouddha de 38 mètres[2], ainsi que des inventaires[3]. L'Archaeological Survey of India s'attelle aux premiers travaux de restauration des deux bouddhas et de leurs niches. Une chronologie du site se met peu à peu en place[4]. L'invasion soviétique de l'Afghanistan en 1979 et le départ des missions étrangères sonnent l'arrêt de ces travaux. Après l'explosion des bouddhas en mars 2001 puis la chute du pouvoir taliban, l'attention de la communauté internationale se reporte inévitablement sur Bamiyan[5]. La prise du pouvoir par les talibans en août 2021 a de nouveau mis un terme à tous ces projets.

ill. 58
Portrait de donatrice
Afghanistan, Bamiyan, grotte G, VIIe siècle (?)
Enduit peint sur terre crue ; H. 8,5 ; L. 9,3 ; P. 2,2 cm
Paris, MNAAG, fouilles de la DAFA, mission Joseph Hackin (1929-1930), MG 17967

---

1 Frank Raymond Allchin et Kenneth de Burgh Codrington ; Paul Bernard, Marc Le Berre, Jean-Claude Gardin et Bertille Lyonnet pour la DAFA.
2 Shaibai Mostamandi et Gérard Fussman ; Zemaryalaï Tarzi.
3 Inventaire des peintures murales dressé par une équipe de l'Université de Kyoto.
4 Klimburg-Salter, 1989, 2008, 2010.
5 Tarzi procède dès 2002 à une prospection et à des fouilles en fond de vallée ; une mission japonaise, sous la supervision de l'Unesco, se charge de la cartographie, de l'inventaire et de la sauvegarde des peintures murales ; une troisième, patronnée par l'ICOMOS, réfléchit à la reconstruction éventuelle de ces géants de roche friable ; la DAFA et l'Unesco œuvrent à l'aménagement des vestiges de Shahr-e Gholghola ; en 2016, l'ensemble de la falaise est scanné par Iconem et Pascal Convert.

Au fil des diverses recherches s'est fait jour un consensus. L'occupation du site est attestée dès le IVe siècle, mais c'est à partir de la seconde moitié du VIe siècle que la vallée de Bamiyan connaît une phase de croissance lui conférant le rôle d'établissement bouddhique majeur. Cet essor, qui se prolonge jusqu'au IXe voire Xe siècle – jusqu'à ce que l'islam remplace définitivement le bouddhisme dans la vallée –, s'explique par un changement dans les routes commerciales, au bénéfice de la route traversant l'Hindou Kouch en passant par Bamiyan. Lui-même est lié à une redistribution des cartes sur le plan politique dans la région avec l'expansion du pouvoir des Turcs occidentaux en Asie centrale et dans le nord de l'actuel Afghanistan à partir de 560, culminant au début du VIIe siècle au moment de leur domination sur de vastes territoires au nord et au sud de l'Hindou Kouch.

À Bamiyan, cet essor est marqué dans la seconde moitié ou à la fin du VIe siècle par la sculpture du bouddha de 38 mètres de haut, identifié comme Bouddha Shakyamuni, et le creusement des grottes limitrophes. Du début du VIIe siècle dateraient le bouddha de 55 mètres, Dipankara, et les grottes voisines. Le moine pèlerin chinois Xuanzang en témoigne en 632 : les deux sculptures sont alors étincelantes, d'une teinte dorée pour la plus grande, métallique pour la plus petite. Les textes de l'époque islamique parlent ensuite de couleurs rouge et bleu-gris.

Les peintures murales des deux niches monumentales sont postérieures à la réalisation même des colosses, les niches se creusant au fur et à mesure du travail des sculpteurs. Le pèlerin Xuanzang n'en disant mot en 632 – pas plus que du bouddha assis monumental situé entre les deux colosses –, il est proposé de les dater de la fin du VIIe ou du début du VIIIe siècle par rapprochement avec les peintures de Fondukistan. Certains traits témoignent par ailleurs d'un style « international » alors en vogue, influencé par la dynastie chinoise des Tang dont les ambassades diplomatiques sont actives. Il en irait de même des peintures des sites voisins de Foladi ou de Kakrak, dont les grottes ont été aménagées au VIIe ou au début du VIIIe siècle. Ces deux vallées latérales restent d'ailleurs des foyers artistiques bouddhiques jusque dans le courant du Xe siècle, comme si les communautés de Bamiyan s'y étaient repliées. L'expédition musulmane de Y'aqub ben Lays Safari en 871 pourrait en être la cause[6].

Les traces archéologiques des dynasties samanide (874-999) puis ghaznévide (977-1186) sont minces à Bamiyan. Les historiens al-Ya'qubi et Tabari témoignent encore au IXe siècle de la coexistence de communautés musulmane et bouddhiste. Ce n'est que sous la dynastie des Ghurides, au XIIe siècle, qu'une cité importante refleurit, dominée par la citadelle de Gholghola et associée à un actif réseau commercial. Bamiyan s'impose même comme seconde capitale dynastique et de nombreux textes, dont le *Tabaqāte Nasiri* de Jozjani, témoignent de son importance. En 1215, la ville est brièvement prise par les Khwarazmshahs, souverains originaires du nord de l'Afghanistan actuel. En 1221, elle est mise à sac par les troupes de Gengis Khan ; la citadelle, laissée à l'état de ruines, prend dès lors le nom de Shahr-e Gholghola, ou « ville des murmures ». Bamiyan demeure ensuite une bourgade paisible à l'abri de sa falaise et de ses bouddhas… jusqu'à l'aube du XXIe siècle.

ill. 59
Bouddha assis
Afghanistan, Bamiyan, grotte V, VIe siècle
Terre crue ; H. 49 ; L. 45 ; P. 23 cm
Paris, MNAAG, fouilles de la DAFA, mission Joseph Hackin (1929-1930), MG 17943

ill. 60
Élément d'architecture
Afghanistan, Bamiyan, grotte V, VIe siècle
Terre crue ; H. 16 ; L. 60 cm
Paris, MNAAG, fouilles de la DAFA, mission Joseph Hackin (1929-1930), MG 17931

6 L'incendie du « monastère oriental », construit aux pieds du bouddha de 38 mètres, peut possiblement lui être imputé.

← ill. 61
Plafond de la grotte I
Afghanistan, Bamiyan
Photographie Josephine
Powell, 1959-1961
Harvard Fine Art Library

ill. 62
Personnages lançant des fleurs
Afghanistan, Bamiyan, grotte H
Relevé de peinture exécuté
par Yedda Godard, 1923
Gouache sur bois ; H. 60 ; L. 100 cm
Paris, MNAAG, fouilles de la DAFA,
mission André Godard (1923),
MG 24867

ill. 63
Donateurs
Afghanistan, Bamiyan, niche
du bouddha de 38 mètres
Relevé de peinture exécuté
par Yedda Godard, 1923
Gouache sur bois ; H. 60 ; L. 160 cm
Paris, MNAAG, fouilles de la DAFA,
mission André Godard (1923),
MG 25216

ill. 64
Génies volants
Afghanistan, Bamiyan, niche du bouddha de 55 mètres
Relevé de peinture exécuté par Jean Carl, 1935
Gouache sur toile ; H. 60 ; L. 110 cm
Paris, MNAAG, fouilles de la DAFA, mission Joseph Hackin (1929-1930), MG 24869

→ ill. 65
Musiciennes
Afghanistan, Bamiyan, niche du bouddha de 55 mètres
Relevé de peinture exécuté par Jean Carl, 1935
Gouache sur toile ; H. 140 ; L. 170 cm
Paris, MNAAG, fouilles de la DAFA, mission Joseph Hackin (1929-1930), MG 24871

→ ill. 68
Dieu solaire Surya sur son char
Afghanistan, Bamiyan, niche du bouddha de 38 mètres
Relevé de peinture exécuté par Jean Carl, 1935
Gouache sur toile ; H. 275 ; L. 186 cm
Paris, MNAAG, fouilles de la DAFA, mission Joseph Hackin (1929-1930), MG 24012

ill. 66
Bodhisattva assis
Afghanistan, Bamiyan, niche du bouddha de 55 mètres
Relevé de peinture exécuté par Jean Carl, 1935
Gouache sur toile ; H. 141,5 ; L. 171,5 cm
Paris, MNAAG, fouilles de la DAFA, mission Joseph Hackin (1929-1930), MG 24865

ill. 67
Bodhisattva assis
Afghanistan, Bamiyan, grotte K3
Relevé de peinture exécuté par Jean Carl, 1935
Gouache sur toile ; H. 171,5 ; L. 141,5 cm
Paris, MNAAG, fouilles de la DAFA, mission Joseph Hackin (1929-1930), MG 24013

← ill. 69
Bouddhas assis
Afghanistan, Bamiyan, sanctuaire de Kakrak, VIe-VIIe siècle
Enduit peint sur terre crue ; H. 28,5 ; L. 17 cm
Paris, MNAAG, fouilles de la DAFA, mission Joseph Hackin (1929-1930), MG 17906

↙ ill. 70
Bouddha assis
Afghanistan, Bamiyan, sanctuaire de Kakrak, VIe siècle
Enduit peint sur terre crue ; H. 20 ; L. 23 cm
Paris, MNAAG, fouilles de la DAFA, mission Joseph Hackin (1929-1930), MG 17912

PAGE CI-CONTRE

→ ill. 71
Main d'un bouddha colossal
Afghanistan, Bamiyan, V[e]-VIe siècle
Terre crue, vestiges de dorure ;
H. 25 ; L. 18 ; P. 13 cm
Paris, MNAAG, fouilles de la DAFA, mission André Godard (1923) ou Joseph Hackin (1929-1930), MG 18549

↗ ill. 72
Tête de *devata*
Afghanistan, Bamiyan, grotte G, VIe-VIIe siècle
Terre crue, traces de polychromie ;
H. 8 ; L. 8 ; P. 6,5 cm
Paris, MNAAG, fouilles de la DAFA, mission Joseph Hackin (1929-1930), MG 17916

↘ ill. 73
Tête de *devata*
Afghanistan, Bamiyan, grotte G, VIe-VIIe siècle
Terre crue, traces de polychromie ;
H. 15 ; L. 10 ; P. 8,5 cm
Paris, MNAAG, fouilles de la DAFA, mission Joseph Hackin (1929-1930), MG 17917

ill. 74
Panorama de la falaise de Bamiyan, Afghanistan
Photographie Marc Riboud, 1955
Paris, MNAAG, legs Marc Riboud (2019)

« Le voyageur, contemplant les grandes et mystérieuses idoles et la multitude des cavités qui les entourent, ne peut manquer d'être absorbé dans une réflexion et un émerveillement profonds », écrit Charles Masson en 1835. Bamiyan devient dès les années 1930 une destination incontournable pour tout étranger visitant l'Afghanistan : Robert Byron, Ella Maillart, Nicolas Bouvier, Marc Riboud, Joseph Kessel, Josephine Powell, mais aussi hippies des années 1960 et 1970… Tous ou presque partagent une même admiration pour ce site inscrit au cœur d'une vallée fertile de l'Hindou Kouch.

ill. 75
Détail de la tête du bouddha de 38 mètres, surmontée de la fresque au dieu Surya
Afghanistan, Bamiyan
Photographie Josephine Powell, 1959-1961
Harvard Fine Art Library

ill. 76
Bouddha de 55 mètres
Afghanistan, Bamiyan
Photographie André Godard, 1923
Paris, MNAAG, archives photographiques,
AP 14697

Les bouddhas de Bamiyan

La forme générale des bouddhas monumentaux est constituée du conglomérat rocheux de la falaise, recouvert de couches d'argile maintenues en place par une armature de bois et de corde, puis de fines couches d'argile encore pour modeler les draperies. La nature du revêtement de surface final soulève toujours quelques interrogations – peinture, feuilles d'or ? –, de même que l'absence de visage sculpté des deux bouddhas, coupé verticalement du sommet du crâne au menton. Selon certains chercheurs, des plaques métalliques rivetées recouvraient les avant-bras et un masque de métal sur une âme de bois était rapporté. Ces masques auraient été déposés par les moines quand ils quittèrent définitivement Bamiyan : cette absence de visage n'aurait ainsi rien à voir avec un iconoclasme islamique ancien. Mais la mise en place de ces masques, vu leur monumentalité, entraîne d'autres questions et l'épisode de la destruction des idoles de la Kaaba par Mahomet, mis par écrit dès le VIIIe siècle, était suffisamment connu pour « justifier » une destruction volontaire…

Nicolas Engel

Fondukistan

Nicolas Engel

Averti de la découverte, par des enfants, de figures de bouddhas au visage étrangement allongé, Jean Carl arrive en mai 1937 à Fondukistan, dans la vallée du Ghorband, à mi-chemin entre Kaboul et Bamiyan, interrompant ses travaux en cours à Begram[1]. Le site avait été exploré par Charles Masson en 1836[2].

Les vestiges exhumés par Carl sont ceux d'un monastère bouddhique. La résidence des moines, aux murs faits de *pakhsâ*, est reliée par un passage voûté et coudé à un espace de plan sensiblement carré, clos de murs de briques crues. Joseph Hackin, dans ses publications posthumes de 1950 et 1959[3], émet l'hypothèse que cette dernière pièce était couverte d'une voûte en berceau ; pour Benjamin Rowland il s'agissait plutôt d'un dôme[4] mais Zemaryalaï Tarzi réfute toute fermeture au profit d'une cour à ciel ouvert : l'espace est selon lui trop vaste pour que, techniquement, il ait pu être couvert[5]. Les archives inédites des fouilles, conservées au musée national des arts asiatiques – Guimet et portant quelques dimensions des niches, permettent d'estimer que cet espace avait 6,50 mètres de côté.

Au centre de cette cour se dresse un stupa à décor de pilastres, d'arches trapézoïdales, d'arcs en plein cintre et de colonnettes à

1 Selon un accord oral, la DAFA s'est vu confier depuis 1922 le soin de dégager et d'étudier toute trouvaille fortuite sur le territoire afghan. Ce principe disparaît en 1966 avec la création de l'Institut afghan d'archéologie.

2 Masson, 1836, p. 6.

3 Hackin, 1950 ; Hackin, 1959.

4 Rowland, 1961.

5 Tarzi, 1975.

← ill. 77
Fouilles du monastère de Fondukistan,
Photographie mission Jean Carl, 1937
Paris, MNAAG, archives photographiques, 81371-24bis

ill. 78
Bodhisattva Maitreya
Afghanistan, monastère de Fondukistan
Relevé de peinture exécuté par Jean Carl, 1937
Détrempe sur papier ; H. 58 ; L. 40 cm
Paris, MNAAG, fouilles de la DAFA, mission Jean Carl (1937), MG 24017

chapiteaux indo-persépolitains. Tout autour, douze niches ou chapelles sont aménagées dans les murs, au nombre de trois par côté. L'extérieur des niches est ornementé d'un bandeau de rinceaux. Dix d'entre elles abritent encore, lors des fouilles, un ensemble de statues de terre crue peintes, fixées aux parois à l'aide de goujons de bois. Un décor peint contribue à la richesse du décor : il est constitué de motifs végétaux, des figures d'un dieu lunaire et d'un dieu solaire dans la niche K, de bodhisattvas et d'un bouddha peints à l'extérieur de la niche E. C'est dans cette dernière que la représentation sculptée d'un couple, vraisemblablement princier, a été mise au jour. L'homme porte une tunique ornée de médaillons perlés et des bottes, la femme, à la taille mince et à la poitrine opulente, des parures de perles. Sous eux était enfouie une urne cinéraire contenant une monnaie contremarquée du souverain sassanide Khosrow II, datée de 689[6] ; une seconde urne était cachée dans la paroi latérale droite de la niche.

L'influence de l'art de la dynastie des Gupta (dans les silhouettes et les postures), et celle de l'art sassanide (dans les motifs perlés des vêtements) sont perçues dès les premières études. Des parallèles sont aussi faits avec le site de Bamiyan. La monnaie datée de 689 permet de placer la construction du monastère de Fondukistan à la toute fin du VIIe siècle ; une datation similaire est par extension donnée aux œuvres stylistiquement comparables provenant d'autres sites archéologiques de l'est de l'Afghanistan, de Ghazni ou de Mes Aynak notamment.

---

6 Göbl, 1967, p. 313-314.

ill. 79
Deux rois *naga*
Afghanistan, monastère de Fondukistan, niche D, fin du VIIe siècle
Terre séchée, traces de polychromie ;
H. 40 ; L. 60 ; P. 32 cm
Paris, MNAAG, fouilles de la DAFA, mission Jean Carl (1937), MG 24015

→ **ill. 80**
Bouddha paré, vêtu du camail à trois pointes
Afghanistan, monastère de Fondukistan, niche D, fin du VIIe siècle
Terre séchée, traces de polychromie ;
H. 51 ; L. 42 ; P. 18 cm
Paris, MNAAG, fouilles de la DAFA, mission Jean Carl (1937), MG 18960

← **ill. 81**
Bodhisattva
Afghanistan, monastère de Fondukistan, niche D, fin du VIIe siècle
Terre séchée, traces de polychromie ; H. 72 ; L. 24 ; P. 22 cm
Paris, MNAAG, fouilles de la DAFA, mission Jean Carl (1937), MG 18959

→ **ill. 82**
Bouddha dans la posture du délassement royal
Afghanistan, monastère de Fondukistan, niche C, fin du VIIe siècle
Terre séchée, traces de polychromie ; H. 42 ; L. 51 ; P. 18 cm
Paris, MNAAG, fouilles de la DAFA, mission Jean Carl (1937), MG 18970

Begram

Nicolas Engel

ill. 83
Ria Hackin filmant Joseph Hackin présentant une céramique anthropomorphe
Afghanistan, Begram, chantier 2
Photographie Ria Hackin, 1939
Paris, MNAAG, archives photographiques, 9992-42

À 60 kilomètres au nord de Kaboul, dans la province de Parwan, non loin de la confluence des rivières de Ghorband et du Panshir, le site de Begram est visité par Alfred Foucher en 1923. L'identifiant à la capitale de Kapisa, que le pèlerin chinois Xuanzang aurait visitée en 628, il souligne « qu'il conviendrait d'ouvrir un chantier important, sûr que nous sommes que la moisson serait des plus intéressantes ». Il qualifie le Burj-i Abdullah, partie haute ceinte de remparts, de Vieille Ville royale, et la colline méridionale de Nouvelle Ville royale[1]. De la zone basse intermédiaire, très perturbée par des cultures, où il imagine que s'étendaient la ville et ses faubourgs, proviennent les nombreuses monnaies et autres trouvailles collectées par Charles Masson lors de ses explorations entre 1833 et 1838[2].

Les fouilles archéologiques menées par la DAFA à Begram entre 1936 et 1946 se sont principalement intéressées à la Nouvelle Ville royale. Sous la direction de Joseph Hackin, Jean Carl et Jacques Meunié travaillent sur le chantier 1 (appelé Bazar) en 1936-1937 ; Ria Hackin, sur le chantier 2 de 1937 à 1940 ; Jacques Meunié, dans la zone ouest du chantier 2 et sur le chantier 3, au sud des remparts de la Nouvelle Ville royale, en 1938. Roman Ghirshman reprend les travaux sur le chantier 2 en 1941-1942, ouvrant aussi une fouille à l'ouest du chantier 1 et explorant une partie des fortifications méridionales de la Nouvelle Ville royale ainsi que le Burj-i Abdullah. À la demande de Daniel Schlumberger, Meunié fouille à l'entrée de la ville, au sud du chantier 1, en 1946. Les publications se succèdent[3] dans un ordre dispersé ; elles sont parfois lacunaires, du fait de la mort prématurée en 1941 du couple Hackin et de Carl et de la perte d'une partie de la documentation de ce dernier.

Le site est indissociable du « trésor de Begram », découvert par Ria Hackin en 1937 et 1939 dans les chambres 10 et 13 d'un bâtiment du chantier 2, associé à la deuxième période d'occupation ou niveau II de Begram : il s'agit d'une collection d'objets en divers matériaux, incluant ivoire, os, verre, plâtre, bronze, bois laqué, albâtre, porphyre, cristal de roche et œuf d'autruche, et associant iconographies hellénistique, de l'Orient romain et indienne. Ces objets somptueux, mais aussi pour certains de curiosité et utilitaires, témoignent d'importations à longue distance : ils proviennent d'ateliers du Proche-Orient

1 Foucher, 1942-1947, p. 140-141 et 144.
2 Masson, 1842, t. III, p. 154-157 ; Errington, 2001 ; Ghirshman, 1946, p. 23.
3 Hackin, Carl et Meunié, 1959 ; Hackin, 1939 ; Hackin, 1954 ; Ghirshman, 1946 ; Hamelin, 1952, 1953 et 1954.

ill. 84
Fouille du « trésor »
Afghanistan, Begram, chantier 2, chambre 10
Photographie Ria Hackin, 1937
Paris, MNAAG, archives photographiques

ill. 85
Plaquettes d'ivoire *in situ* de l'ensemble 200
Afghanistan, Begram, chantier 2, chambre 13
Photographie mission Joseph Hackin, 1939
Paris, MNAAG, archives photographiques, 8131571-4

méditerranéen et d'Égypte, d'Inde et de Chine. Le « désordre indescriptible » des verres retrouvés au sol dans la chambre 10 suggère à Joseph Hackin qu'ils étaient stockés sur des étagères qui se sont effondrées ; mais de nombreux objets, dont les ivoires ayant orné des meubles de bois, semblent avoir aussi été posés à même le sol. Ces deux espaces étaient probablement à l'origine des pièces de réception, comme en témoignent le décor mural peint partiellement conservé dans la chambre 13. Les accès aux deux pièces ont été murés de briques crues peu avant l'abandon du bâtiment ; sa progressive dégradation naturelle au fil des siècles a enfoui les œuvres sous une couche de poussière fine. L'identité même de cet édifice reste ambiguë, le terme de « palais » qu'emploie Ghirshman n'ayant rien d'avéré.

Depuis les fouilles, le « trésor de Begram » a suscité de nombreuses discussions et une bibliographie conséquente. Il est généralement admis aujourd'hui que ces œuvres datent des Ier et IIe siècles de notre ère, reprenant la proposition faite par Hackin en 1940. Quant à la date de scellement des deux chambres, marquant de peu la fin du niveau II de Begram, Ghirshman avait appuyé en 1946 l'hypothèse d'un abandon en 241, directement lié à l'invasion de la région de Kapisa par le souverain sassanide Shapur Ier (240-272). En 1987, Osmund Bopearachchi nettoie et identifie la collection de monnaies de Begram du musée national des arts asiatiques – Guimet. Il la publie en 2001[4] : la présence d'imitations de monnaies de Vasudeva Ier en relation stratigraphique avec certains objets du trésor invite à placer après 260, au plus tôt, le dépôt du trésor et l'abandon du bâtiment associé aux chambres 10 et 13[5]. La zone ouest de ce dernier, où des structures semblent avoir été réaménagées, a néanmoins pu être réoccupée lors de la dernière phase d'occupation de la Nouvelle Ville royale, le niveau III de Begram, que Shoshin Kuwayama, dans le cadre de ses études sur plusieurs sites des régions de Kaboul et de Kapisa, propose de dater du VIe au milieu du VIIIe siècle[6].

---

4 Bopearachchi, 2001.
5 Morris, 2017, p. 97, qui reprend la bibliographie consacrée au « trésor de Begram » (Whitehouse, 2001 et 2012 ; Coarelli, 1962 et 2009 ; Rütti, 1998 ; Mehendale, 1997, 2001, 2011 et 2012).
6 Kuwayama, 1974, p. 76-77 ; Kuwayama, 1991, p. 112, 117-118 ; Kuwayama, 2010, p. 291. Aucune monnaie de cette période ne provient cependant du corpus des fouilles, comme le relève Osmund Bopearachchi (Bopearachchi, 2001).

ill. 86
Plaque ornée d'une balustrade avec *garuda* et *naga*
Afghanistan, Begram, chantier 2, chambre 13, Ier-IIe siècle
Ivoire; H. 7,3; L. 18,4 cm
Paris, MNAAG, fouilles de la DAFA, mission Joseph Hackin (1939), MA 309

PAGE 121

→ ill. 87
Reconstitution d'un ensemble de plaques d'après les dessins de Pierre Hamelin et les photographies de fouilles
Afghanistan, Begram, chantier 2, chambre 13, Ier-IIe siècle
Ivoire; H. 52; L. 59 cm
Paris, MNAAG, fouilles de la DAFA, mission Joseph Hackin (1939), MA 281 à 284, MA 332 à 334

↘ ill. 88
Plaque ornée d'une scène à quatre personnages
Afghanistan, Begram, chantier 2, chambre 10, Ier-IIe siècle
Ivoire; H. 11,5; L. 11,7 cm
Paris, MNAAG, fouilles de la DAFA, mission Joseph Hackin (1937), MG 18977

↘ → ill. 89
Plaque ornée d'un triton et de *makara*
Afghanistan, Begram, chantier 2, chambre 10, Ier-IIe siècle
Ivoire; H. 9,1; L. 7,5 cm
Paris, MNAAG, fouilles de la DAFA, mission Joseph Hackin (1937), MG 18979

Les ivoires de Begram

Les ivoires sont sans nul doute les pièces les plus exceptionnelles du « trésor de Begram », découvert en 1937 et 1939. Production d'ateliers d'ivoiriers indiens, sans équivalents connus excepté la statuette féminine découverte dans les années 1930 à Pompéi, ils témoignent d'un travail élégant de composition, déclinant toutes les techniques possibles, de la ronde-bosse à la gravure en passant par le relief en réserve. Certaines plaquettes jouent des vides et des pleins, avec un décor ajouré sculpté sur les deux faces. Des traces de pigments rouge et noir et des restes de dorure peuvent être observés.

Ces ivoires, d'éléphant, formaient le décor de meubles de bois sur lesquels ils étaient fixés par de petits clous de cuivre au motif floral souvent très harmonieux. Retrouvées au sol, le bois s'étant désagrégé, les pièces ont été sauvées par la pulvérisation d'une solution de gélatine tiède et leur collage sur un tissu de doublage; ce fut une première, très largement improvisée sur place, documentée par une courte séquence filmée par Ria Hackin en 1939.

La Seconde Guerre mondiale ayant interrompu les fouilles, Joseph et Ria Hackin ainsi que Jean Carl étant décédés en 1941, la documentation des fouilles qui subsiste n'est que fragmentaire. Le partage des ivoires d'un même ensemble entre Kaboul et Paris, où le lot « français » de 1937 est exposé dès 1938, en complique en outre l'étude. Pierre Hamelin, appelé par Joseph Hackin à participer aux fouilles durant l'été 1939, tenta néanmoins après la Seconde Guerre mondiale de reconstituer certains ensembles d'après ses souvenirs, les quelques croquis conservés de Carl et les photographies prises lors des fouilles; il publia des plans des chambres 10 et 13 du trésor en 1953 et 1954. **Nicolas Engel**

← ill. 90
Plaque ornée de deux femmes sous une arche
Afghanistan, Begram, chantier 2, chambre 13, Ier-IIe siècle
Ivoire ; H. 14,6 ; L. 13,5 cm
Paris, MNAAG, fouilles de la DAFA, mission Joseph Hackin (1939), MA 321

↗ ill. 91
Peson de balance en forme de buste d'Athéna
Afghanistan, Begram, chantier 2, chambre 10, Ier-IIe siècle
Bronze ; H. 9,4 ; L. 7,8 ; P. 5,1 cm
Paris, MNAAG, fouilles de la DAFA, mission Joseph Hackin (1937), MG 19073

↗ ↗ ill. 92
Peson de balance en forme de buste de Mercure
Afghanistan, Begram, chantier 2, chambre 13, Ier-IIe siècle
Bronze ; H. 7,9 ; L. 6,6 ; P. 3,3 cm
Paris, MNAAG, fouilles de la DAFA, mission Joseph Hackin (1939), MG 21230

→ ill. 93
Médaillon à l'éphèbe casqué
Afghanistan, Begram, chantier 2, chambre 13, Ier-IIe siècle
Plâtre ; D. 12 ; P. 1 cm
Paris, MNAAG, fouilles de la DAFA, mission Joseph Hackin (1939), MA 197

↓ ill. 95
Flacon ichtyomorphe
Afghanistan, Begram, chantier 2, Ier-IIe siècle
Verre ; H. 8 ; L. 11 ; P. 9 cm
Paris, MNAAG, fouilles de la DAFA, mission Joseph Hackin (1937 ou 1939), MG 21832

↑ ill. 94
Vase sur pied
Afghanistan, Begram, chantier 2, Ier-IIe siècle
Verre ; H. 11 ; D. 6 cm
Paris, MNAAG, fouilles de la DAFA, mission Joseph Hackin (1937 ou 1939), MG 19079

ill. 96
Détail du décor peint d'un verre
Afghanistan, Begram, chantier 2, chambre 10
Relevé exécuté par Jean Carl, 1937
Paris, MNAAG, fouilles de la DAFA, mission Joseph Hackin (1937), MG 24815

ill. 97
Bouteille à décor de résilles
Afghanistan, Begram, chantier 2, Ier-IIe siècle
Verre ; H. 19 ; D. 7 cm
Paris, MNAAG, fouilles de la DAFA, mission Joseph Hackin (1937 ou 1939), MG 19094

ill. 98
Gobelet orné : l'enlèvement d'Europe / Ganymède et l'aigle
Afghanistan, Begram, chantier 2, chambre 13, Ier-IIe siècle
Verre peint ; H. 16 ; D. 9,5 cm
Paris, MNAAG, fouilles de la DAFA, mission Joseph Hackin (1939), MG 21228

ÉLARGIR LES CHAMPS DE RECHERCHE

La DAFA face aux attentes des autorités afghanes, 1945-1982

Nicolas Engel

Daniel Schlumberger (1904-1972) prend en 1945 la direction de la DAFA, après la révocation de Ghirshman en 1942. Historien et archéologue expérimenté, il perçoit rapidement les attentes nouvelles des autorités afghanes : « Bien plus qu'à leurs antiquités helléniques ou bouddhiques, c'est à leurs antiquités préhistoriques d'une part, à leurs antiquités ghaznévides d'autre part, qu[e les Afghans] attachent une valeur proprement nationale : aux premières parce qu'ils attendent d'elles des lumières sur leurs origines "aryennes", aux secondes parce qu'ils tiennent légitimement Mahmoud de Ghazni, introducteur de l'Islam aux Indes, pour la plus grande figure de l'histoire afghane[1]. »

La convention de 1922, signée pour trente ans, est reconduite en 1952. Un texte négocié en 1946 en précisait quelques points. La DAFA s'établit de façon permanente à Kaboul – elle s e voit ainsi *de facto* concéder toute recherche liée à des découvertes fortuites. Possibilité est donnée au gouvernement afghan de mener ses propres fouilles ou d'ouvrir le territoire à des équipes étrangères autres que françaises sur des sites qui ne sont pas encore travaillés par la DAFA –, ce qui n'arrivera pas avant la toute fin des années 1950 pour des missions d'envergure. La DAFA s'engage à coopérer avec les autorités afghanes au projet de création d'un Service archéologique et d'une Direction des antiquités – les prémisses d'une autonomie afghane en termes de valorisation et préservation des antiquités sont posées, d'autant que des journaux ou revues afghans, *Aryana* depuis 1942, *Afghanistan* depuis 1946, publient régulièrement des articles sur le patrimoine en dari, pashto, français, anglais ou italien.

La DAFA, sous la direction de Schlumberger jusqu'en 1965, de Paul Bernard (1929-2015) de 1965 à 1980 puis de Jean-Claude Gardin (1925-2013) jusqu'en 1982, se remodèle donc, s'adaptant aux nouvelles orientations concernant les travaux français à l'étranger[2], mais surtout à l'évolution des structures administratives et aux renversements de la vie politique de l'Afghanistan. Elle lance de grandes fouilles d'un type nouveau,

PAGE PRÉCÉDENTE
Campement, les tentes et la « Laffly »
Afghanistan, Tar-o Sar
(détail de l'ill. 135)

ill. 99
Stupa
Afghanistan, Goldara
Photographie mission Joseph Hackin, années 1930
Paris, MNAAG, archives photographiques, 1188

1 Projet adressé au Service des œuvres françaises d'Alger le 9 mai 1944, MAE 7 (Olivier-Utard, 2003, p. 172).

2 Liées à la création d'une Commission des fouilles en avril 1945.

pluriannuelles : à Lashkari Bazar de 1949 à 1951, site daté des dynasties ghaznévide et ghuride ; à Surkh Kotal de 1952 à 1963, suite à la découverte fortuite de blocs portant des inscriptions bactriennes en caractères grecs de l'époque kouchane ; à Aï Khanoum de 1964 à 1978, où le roi Zaher Shah a signalé un chapiteau hellénistique en 1961. Elle soutient également la mission de Jean-Marie Casal à Mundigak, site majeur de l'âge du bronze. L'objectif est aussi d'achever les travaux entamés, afin d'avoir des « fouilles vraiment exhaustives », comme le demandent les autorités afghanes à Schlumberger : à Begram en 1946, à Balkh en 1947 puis en 1955-1956. La céramique recueillie à Balkh permettra à Jean-Claude Gardin d'établir le premier classement typologique de ce matériel[3] ; avec lui sont posées les prémisses de ce que l'on nomme en Europe la Nouvelle Archéologie. En parallèle, Pierre Hamelin restaure des ivoires et des verres du trésor de Begram au musée de Kaboul.

La DAFA est également amenée, à l'invitation des autorités afghanes, à travailler au relevé de divers monuments ou à de courtes fouilles : grottes bouddhiques de Foladi à Bamiyan en 1957 ; monastère de Goldara, près de Kaboul, de 1963 à 1965 ; site de Shakt Tepe, dans la province de Kunduz, en 1953 puis 1963, où une centaine de tertres funéraires du début du VIe siècle est identifiée. C'est ainsi que le minaret de Jam est découvert en 1957 au centre de la province du Ghor. Les années 1960 voient aussi se développer les prospections, menées plus particulièrement par Marc Le Berre et Gérard Fussman, à Kandahar en 1963 après l'apparition sur le bazar d'inscriptions du souverain Ashoka, dans la vallée du Wardak, les environs de Kaboul ou l'Hindou Kouch central. Témoignant de l'émergence de nouvelles problématiques archéologiques portant sur un territoire, son peuplement et les réseaux d'irrigation, d'importantes prospections sont menées à partir de 1974 en Bactriane orientale et dans le Haut-Tokharestan, parallèlement aux fouilles d'Aï Khanoum. C'est dans ce cadre qu'est découvert et fouillé par Henri-Paul Francfort le site de l'âge du bronze de Shortugaï, de 1976 à 1978, dernière opération archéologique de la DAFA avant la suspension de tout travail de terrain en 1979.

Les publications sont nombreuses, dans les *Mémoires de la DAFA* et d'autres revues permettant de relater les découvertes plus rapidement, mais aussi, écho d'une coopération internationale naissante, dans des revues anglophones[4]. La DAFA s'ouvre en outre à d'autres thèmes de recherche, comme la linguistique – projet d'atlas linguistique de l'Afghanistan entrepris en 1962 par le Danois Morgenstierne, auquel est associé le linguiste Charles Kieffer, secrétaire de la DAFA de 1962 à 1965, ou l'*Atlas linguistique des parlers dardes et kafirs* que publie Gérard Fussman en 1972[5] – ou l'ethnographie – mission ethnographique danoise logeant à la DAFA de 1947 à 1949, missions de Bernard Dupaigne pour le musée de l'Homme dans les années 1970. Elle s'investit également en 1980 au Musée national d'Afghanistan, y mettant en place un vaste tessonnier de référence.

Par ailleurs, dès la prise de fonction de Schlumberger à la DAFA, un accent fort est mis sur la formation de professionnels afghans du patrimoine, dont le nombre restait insuffisant, tel Ahmed Ali Kohzad (1907-1983), alors conservateur du musée de Kaboul après avoir été formé en accompagnant les Hackin. Zemaryalaï Tarzi, étudiant en France avant de devenir directeur de l'Institut national d'archéologie afghan de 1973 à 1979, sera l'un d'eux. Car en 1966, signe d'une prise d'autonomie des autorités afghanes en matière d'archéologie, de restauration et de musée, est créé un Institut national d'archéologie afghan (INA), dirigé par Chaibai Moustamindy puis par Tarzi. L'INA se charge désormais de l'examen de toute découverte fortuite et des

---

3 Gardin, 1957a.
4 La série des *Mémoires de la DAFA* se poursuit, le dernier volume paru étant le numéro XXXIV, en 2013.
5 Fussman, 1972.

fouilles d'urgence, et des fouilles afghanes indépendantes de toute coopération étrangère sont lancées : à Hadda de 1966 à 1982, sous la direction successive de Moustamindy et Tarzi puis de M. A. Joyenda ; à Tepe Marenjan sous la direction de ce dernier, de 1981 à 1987. Au début des années 1970, un Service des monuments historiques est à son tour créé.

Le discours à la nation prononcé le 23 août 1973 par le président Mohammad Daoud, énonçant la politique culturelle de la nouvelle république démocratique d'Afghanistan, met l'accent sur l'originalité et l'authenticité de la nation afghane et sur la ferme volonté qu'a le régime de développer les institutions nationales en matière de culture et d'information. La période kouchane, des premiers siècles de notre ère, parce que perçue comme authentiquement afghane, concentre toutes les attentions : en 1968 avaient été créés un centre d'études kouchanes patronné par l'Unesco et la revue *Kushan Culture and History* ; en 1978 se tient à Kaboul la première conférence internationale d'études kouchanes.

En 1979, l'Armée rouge envahit l'Afghanistan. Les structures administratives s'alignent sur le modèle soviétique : une Académie des sciences chapeaute désormais l'Institut national d'archéologie et le musée de Kaboul. En 1980 est promulguée une loi sur les antiquités, mettant officiellement fin à toute idée de partage des découvertes archéologiques. En 1982 arrive à terme la convention de 1952, signée pour trente ans. Le 15 septembre 1982, il est demandé que la DAFA mette provisoirement fin à ses activités jusqu'à ce que les circonstances soient favorables à une reprise des travaux sur le terrain. La guerre civile entre factions de moudjahidines redouble d'intensité, menant à la prise de pouvoir des talibans en 1996, dont le régime pèsera sur l'Afghanistan et sa population jusqu'en 2001.

L'âge du bronze en Afghanistan

Nicolas Engel et Catherine Jarrige

La richesse de l'héritage historique de l'Afghanistan a longtemps repoussé au second plan les recherches sur ses hautes époques, bien qu'il y ait dans les piémonts de l'Hindou Kouch des sites suggérant une séquence chronologique allant du paléolithique à l'âge du fer. Un abri sous roche d'Aq Kupruk, dans la province de Balkh, fouillé par l'Américain Louis Dupree dans les années 1960[1], a ainsi livré des outils et des restes d'animaux laissés par des chasseurs-cueilleurs appartenant à un néolithique acéramique daté des VIIIe et VIIe millénaires avant notre ère.

La stabilité, générée au néolithique dans les confins indo-iraniens par la mise en place d'une société d'agriculteurs-éleveurs, a permis vers 5000 avant notre ère l'émergence du chalcolithique, avec l'exploitation des ressources minérales[2], en particulier du cuivre, qui a favorisé l'accroissement de la population et les échanges interrégionaux[3]. En Afghanistan, les premières communautés agricoles apparaissent au IVe millénaire au sud de l'Hindou Kouch. Le site de Mundigak, dans la région de Kandahar, à 40 kilomètres au nord-est de la confluence de l'Helmand et de l'Arghandab, a été découvert et fouillé par Jean-Marie et Geneviève Casal[4]. Leurs travaux, de 1951 à 1958, révèlent pour la première fois en Afghanistan l'existence d'une véritable ville de l'âge du bronze, avec des ensembles monumentaux et une riche activité artisanale, s'inscrivant dans un réseau de relations avec l'Iran de l'Est, l'Asie centrale méridionale, le Balouchistan et la vallée de l'Indus.

La séquence chronologique établie par Casal à Mundigak reste la référence pour l'âge du bronze en Afghanistan. Elle montre sept périodes d'occupation principales, du IVe au IIe millénaire avant notre ère. Au cours du temps, Mundigak passe du stade de petit village agricole – 6 à 8 hectares, périodes I à III – à celui de centre urbain majeur – 55 à 60 hectares, période IV –, avant d'être abandonné puis réoccupé ponctuellement à l'âge du fer (périodes V à VII). Les périodes I et II peuvent être rattachées aux cultures chalcolithiques du Balouchistan, autour de 4000-3500 avant notre ère. Entre 3400-3300 et 3000-2900 avant notre ère, le site s'agrandit

ill. 100
Statuette féminine au *kaunakès*, dite « Princesse de Bactriane »
Bactriane, 2500-1800 av. J.-C.
Serpentine, calcaire ; H. 18,1 ; L. 16 ; P. 14,4 cm
Paris, musée du Louvre, département des Antiquités orientales, achat (1969), AO 22918

1 Dupree *et al.*, 1972.
2 Allchin et Hammond, 2019.
3 Ce déplacement interrégional des populations entre le Moyen-Orient, le plateau iranien, l'Asie centrale et l'Inde est connu depuis au moins le néolithique.
4 Casal, 1966. Il s'agit d'une fouille indépendante, pour le compte de la DAFA, avec le soutien financier de la mission archéologique française en Inde.

ill. 101
Vase à pied à décor de hyène
Afghanistan, Mundigak, vers 3000-2500 av. J.-C. (période IV)
Terre cuite ; H. 13,8 cm
Paris, MNAAG, fouilles associées de la DAFA, mission Jean-Marie Casal (1951-1958), MA 2792

(période III). Ses relations avec le Balouchistan (site de Mehrgarh) sont toujours évidentes mais des parallèles apparaissent aussi avec le site de Shahr-e Sokhta, dans le Séistan iranien, dont la fondation date d'environ 3300 avant notre ère et dont la sphère d'interaction s'étend jusqu'en Mésopotamie. Mundigak atteint son extension maximale entre 3000 et 2500 avant notre ère (période IV). Un grand mur d'enceinte en briques crues, renforcé par des contreforts, entoure un ensemble architectural de plusieurs bâtiments monumentaux – dont le « palais », orné d'une magnifique colonnade en façade – et des ateliers de production de vases en albâtre et de travail des pierres semi-précieuses comme le lapis-lazuli. La production artisanale – pierre, métal et poterie – montre une grande qualité d'exécution, en particulier les gobelets à pied à décor végétal, animalier et géométrique {ill. 101}. Remarquables également sont les figurines {ill. 105-107}, la plupart dans le style de celles de Shahr-e Sokhta mais aussi dans le style de la période VII de Mehrgarh, témoins d'échanges avec le système de l'Indus plus à l'est. S'ensuivent une période d'abandon, précédant l'émergence de la civilisation de l'Indus vers 2500 avant notre ère, puis une réoccupation du sommet du site, sans doute dans la seconde moitié du IIIe millénaire. Les nouveaux occupants édifient une terrasse monumentale qui supportait elle-même un autre étage très érodé, laissant penser à une sorte de « ziggourat » comme à Tureng tepe (Iran), Altyn depe et Ulug depe (Turkménistan), ou à Nad-i Ali (Séistan afghan).

Avec l'émergence de la civilisation de l'Indus (2500-1900 avant notre ère), de nouveaux réseaux d'échanges se mettent en place. La création de « comptoirs », comme celui de Shortugaï dans le nord de l'Afghanistan, fouillé sous la direction d'Henri-Paul Francfort de 1976 à 1979[5], témoigne de la vitalité du commerce indusien mais aussi de l'émergence d'une autre civilisation majeure, celle de l'Oxus (2300-1500 avant notre ère).

---

5 Francfort, 1989.

Elle est d'abord identifiée dans de gigantesques tepes du Turkménistan fouillés, dans les années 1950, par des équipes soviétiques. À partir des années 1970, la profusion de nouvelles données – notamment celles obtenues par Viktor Sarianidi[6] puis par d'autres équipes internationales après la chute de l'URSS[7] – permet d'élargir son aire d'influence aux rives de l'Amou-Daria (ancien Oxus), soit une zone courant sur les territoires actuels du Turkménistan, de l'Ouzbékistan, du nord de l'Afghanistan, du sud-ouest du Tadjikistan et du nord-est iranien, connue autrefois sous le nom de Bactriane et de Margiane – d'où le terme de complexe archéologique bactro-margien également utilisé. Deux phases d'occupation ont été mises en évidence : une première, d'essor, dite urbaine (2300-1700 avant notre ère) ; une seconde, de déclin, post-urbaine (1700-1500 avant notre ère), marquée par de profonds changements touchant l'ensemble des domaines sociétaux[8].

Le pillage systématique des nécropoles dès la fin des années 1970, notamment à Dashli, a révélé l'extraordinaire richesse et la complexité de la civilisation de l'Oxus. La population d'éleveurs et d'agriculteurs sédentaires semble dominée par une élite locale vivant dans des centres proto-urbains fortifiés établis sur des terres intensivement irriguées, dotés de quartiers d'habitation, de zones artisanales et de bâtiments monumentaux interprétés comme des palais, des forteresses ou des temples[9]. Gonur depe, situé dans l'ancien delta du Murghab, au sud-est du Turkménistan, est le plus grand de ces centres : il couvre près de 50 hectares, avec plusieurs temples, un palais et, à l'extérieur des fortifications, une nécropole d'environ trois mille tombes ainsi qu'une « nécropole royale ». Des milliers d'objets en céramique, en or, en argent, en ivoire, en bronze et en pierres semi-précieuses ainsi que des mosaïques mêlant peinture et incrustations de pierres y ont été découverts. Ils témoignent d'échanges interculturels allant du Levant à la vallée de l'Indus via la Mésopotamie de la IIIe dynastie d'Ur et le monde élamite, fondés sur la circulation de matières premières, comme le lapis-lazuli dont l'unique gisement se trouve dans le Badakhchan, en Afghanistan, et d'objets finis ou semi-finis dont les plus beaux exemples proviennent, quand le contexte archéologique est connu, de sépultures : vaisselle en métal au décor incisé ou en ronde bosse {ill. 110 et 111}, figurines dont les plus célèbres sont les « princesses de Bactriane »[10] {ill. 100}, parures, colonnettes {ill. 108} et longs bâtons en pierre interprétés comme insignes du pouvoir ou objets rituels.

Vers 1900 avant notre ère, les grandes villes de l'Indus disparaissent et le système d'échanges les liant à la Mésopotamie s'interrompt. Les sites relevant de la civilisation de l'Oxus connaissent de leur côté d'importantes mutations à partir de 1700 avant notre ère, interagissant de façon privilégiée avec l'Asie centrale et le monde des steppes plus au nord. Vers 1500 avant notre ère, l'apparition d'une culture très différente, celle de l'âge du fer[11], marque une rupture économique à travers toute l'Asie centrale.

---

6 Sarianidi, 1976, 1977.
7 Bendezu-Sarmiento, 2013.
8 Francfort, 2009 ; Luneau, 2014 ; Bendezu-Sarmiento et Lhuillier, 2020.
9 Francfort, 2009 ; Francfort *et al.*, 2019 ; Lyonnet et Dubova, 2021.
10 Benoît, 2010.
11 Lhuillier et Boroffka, 2018.

← ↓ **ill. 102-103**
Sceaux compartimentés
Afghanistan, Mundigak,
vers 3000-2500 av. J.-C.
(période IV)
Cuivre (a), bronze (b);
H. 4,2; L. 3; P. 1,2 cm (a),
H. 3,2; L. 3; P. 1,2 cm (b)
Paris, MNAAG, fouilles
associées de la DAFA, mission
Jean-Marie Casal (1951-1958),
MA 2825 et MA 2827

ill. 104
Tête de hache
Afghanistan, Mundigak,
vers 3500-3000 av. J.-C.
(période III)
Bronze; L. 8 cm
Paris, MNAAG, fouilles
associées de la DAFA,
mission Jean-Marie Casal
(1951-1958), MA 2816

↓ **ill. 105-107**
Figurines zoomorphes
Afghanistan, Mundigak,
vers 3000-2500 av. J.-C.
(période IV)
Terre cuite;
H. 3,8; L. 5; P. 2 cm (a),
H. 3,6; L. 4,5; P. 2 cm (b),
H. 3,5; L. 7; P. 2 cm (c)
Paris, MNAAG, fouilles
associées de la DAFA, mission
Jean-Marie Casal (1951-1958),
MGA 126, MGA 291
et MA 2845

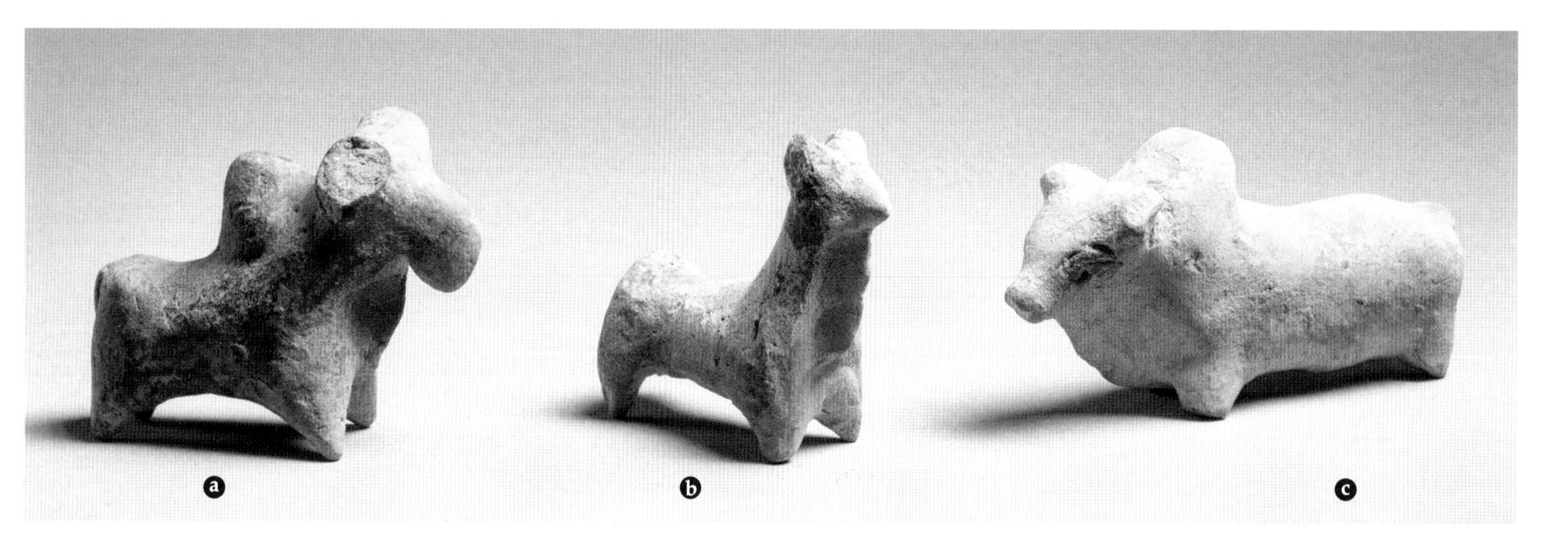

ill. 108
Colonnette
Bactriane, seconde moitié du IIIe millénaire - première moitié du IIe millénaire av. J.-C.
Chlorite, bitume, calcaire ; H. 21,8 ; D. 9,3 cm
Paris, musée du Louvre, département des Antiquités orientales, achat (1982), AO 27626

ill. 109
Figurine dite « Le Balafré »
Iran, 2500-1800 av. J.-C.
Chlorite, calcite, coquillage, fer ; H. 11,7 ; L. 5 ; P. 2,63 cm
Paris, musée du Louvre, département des Antiquités orientales, achat (1961), AO 21104

ill. 110
Vase
Bactriane, seconde moitié du IIIe millénaire - première moitié du IIe millénaire av. J.-C.
Argent repoussé ; H. 13,2 ; D. 14,1 cm
Paris, musée du Louvre, département des Antiquités orientales, achat (1985), AO 28518

ill. 111
Pyxide à couvercle
Bactriane (?), vers 1800 av. J.-C.
Argent repoussé ; H. 13,5 ; D. 21 cm
Paris, musée du Louvre, département des Antiquités orientales, achat (2002), AO 31881

Vaisselle d'apparat

Alors que le fonds mythologique, celui des croyances et de l'univers mental de la civilisation de l'Oxus, est abondamment représenté dans l'art des cachets, des épingles compartimentées et de la statuaire, c'est un répertoire profane où s'invitent souvent des scènes de banquet, de chasse et de labour, qui semble se déployer sur la vaisselle d'apparat de l'âge du bronze centre-asiatique.

Sur les parois de la pyxide à couvercle {ill. 111}, scandées d'arbres stylisés, se déroule un banquet en plein air. Au centre, devant une table richement garnie, un personnage, sans doute assis, dont ne subsiste qu'un pan du vêtement, polarise toute l'attention. S'agit-il d'un homme, comme dans les scènes de banquet figurées sur d'autres vases d'argent ? Sa taille, supérieure à celle des autres figures, semble le démentir. La présence d'un enfant à ses pieds pourrait faire pencher l'hypothèse en faveur d'une femme, peut-être une divinité.

Certains des participants s'affairent aux préparatifs et au déroulement du banquet, qui puisant dans une jarre, qui apportant des victuailles, le tout sous le regard attentif d'un groupe de femmes assises. Vêtues d'amples robes aux mèches laineuses stylisées, elles rappellent par leur attitude et leur vêtement ces « princesses de Bactriane » qui peuplent la statuaire et les épingles de la civilisation de l'Oxus. Leur présence indique peut-être une scène cultuelle.

Le vase cylindrique {ill. 110} s'anime quant à lui d'une course de chars tirés par des bœufs, qui oppose un char léger monté sur deux roues à un véhicule plus lourd, à quatre roues. Un personnage, peut-être un chasseur, domine la scène de sa haute taille. Barbu et botté, il tient une grande outre et porte un arc en bandoulière et peut-être son étui. Il se démarque singulièrement d'un groupe de jeune coureurs nus et imberbes qui, au premier plan, se livrent peut-être à un jeu de balles.

Ces deux objets se rattachent à un corpus de vases en argent ou en or au décor géométrique et figuré réalisé par gravure, martelage et repoussé. Les premiers découverts proviennent des environs du village de Fullol, au sud de l'actuelle ville de Baghlan : le 5 juillet 1966, sur le tertre de Kosh Tapa, des paysans mettent au jour de la vaisselle d'or et d'argent, qu'ils se partagent à coups de hache ; une rapide intervention des autorités afghanes permet d'en récupérer une partie, déposée au musée de Kaboul. La fouille, qui exhume un squelette en position fléchie, la tête vers le nord, suggère qu'il s'agissait là d'un dépôt funéraire.

D'autres découvertes au fil des quarante dernières années, dont les fouilles de Gonur Depe et de Togolok Depe, au Turkménistan, ont enrichi ce corpus d'objets de luxe, rattachés à la civilisation de l'Oxus de la fin du IIIe – début du IIe millénaire avant notre ère, et qui s'inscrivent pleinement dans la dynamique des échanges interiraniens que Pierre Amiet a été l'un des premiers à étudier. **Noémie Daucé**

Surkh Kotal

Bruno Dagens

Situé au nord de l'Hindou Kouch, dans la Bactriane afghane, l'ensemble monumental de Surkh Kotal a été découvert en 1951 à la suite de la trouvaille fortuite de blocs de pierre portant des caractères grecs. Seize campagnes de fouilles y ont été menées de 1952 à 1963 par la DAFA, alors dirigée par Daniel Schlumberger. Ce dernier identifia rapidement le site comme un pôle bactrien de la dynastie iranienne des Kouchans, surtout connue jusqu'alors par son abondante numismatique et aussi par son pôle indien, Mathura : c'est là que se situait un sanctuaire dynastique abritant entre autres une statue de Kanishka (identifié par une inscription), sanctuaire dont Surkh Kotal apparaît comme une contrepartie bactrienne.

Le site principal s'étend sur le sommet et la pente orientale d'une colline dominant la plaine de Pol-i Khomri irriguée par la rivière de Kunduz (un affluent de la rive gauche de l'Oxus également désigné parfois comme la « rivière de Baghlan », nom ancien de Surkh Kotal). Il est bordé par une muraille fortifiée, au tracé irrégulier, scandée de tours. L'élément majeur de l'acropole ainsi délimitée est un sanctuaire occupant un important péribole rectangulaire allongé d'ouest en est {ill. 114} : sur le point culminant de la colline se trouve le temple principal (A) ; son ouverture à l'est donne sur un escalier monumental interrompu par trois vastes terrasses, limitées au nord et au sud par le mur du péribole qui se referme devant la dernière d'entre elles. L'escalier se prolonge au-delà de cette façade jusqu'à une terrasse extérieure bordée elle-même, à l'est, par un canal. Sur l'acropole ont été dégagés un quartier d'habitation (au nord du péribole) ainsi que deux petits temples « tardifs », construits l'un (D) dans la partie sud de la cour du temple A, et l'autre (B) contre la face extérieure du péribole sud. Parmi les autres éléments ajoutés au schéma initial se trouve un puits situé hors du péribole, au pied de l'escalier.

Des fouilles ont également été conduites sur des sites secondaires. Dans la plaine (à 1 200 mètres environ à l'est-nord-est de la base de l'escalier), il s'agit d'une plate-forme bouddhique postérieure au sanctuaire principal : son mur de soutènement est orné de pilastres à chapiteaux corinthiens à figures {ill. 115} et elle porte les restes d'une chapelle et des trois grandes statues en terre qu'elle abritait. Une autre fouille (à 300 mètres environ au sud de la base de l'escalier monumental) concerne une petite forteresse post-kouchane, désignée sous le nom de Kohna Masjid.

Le matériau utilisé pour toutes ces structures est très généralement la brique crue, la pierre n'étant que parcimonieusement employée (parement des murs de soutènement, base des colonnes, marches des escaliers, coffrage du puits, statuaire, merlons et inscriptions). Quant au bois, il était destiné à l'âme des piliers, au chaînage des murs en briques crues et au poutrage des couvertures.

ill. 112
Statue de Kanishka Ier
Afghanistan, Surkh Kotal
Photographie mission Daniel Schlumberger, 1954
Paris, MNAAG, archives photographiques, D-1790

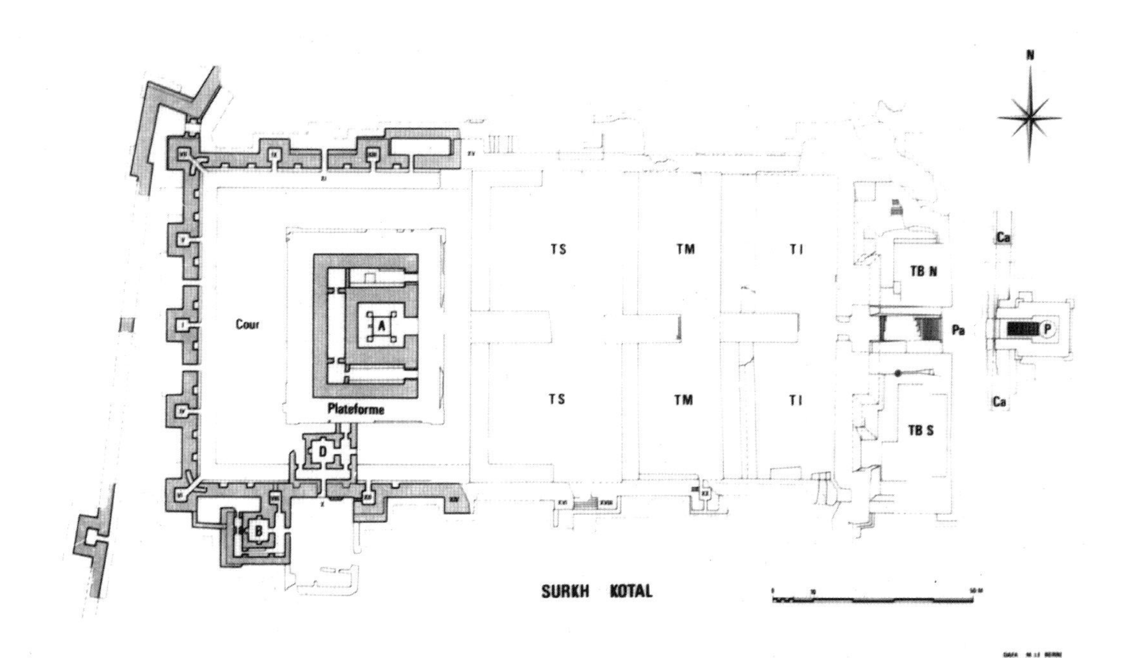

ill. 113
Le site de Surkh Kotal en cours de fouille
Photographie mission Daniel Schlumberger, 1952-1963
Paris, MNAAG, archives photographiques, E-2147

ill. 114
Plan de l'acropole de Surkh Kotal : à gauche, le temple principal sur sa plate-forme ; à droite, l'escalier monumental
D'après Schlumberger, 1983.

Le temple A, objet des premières campagnes de fouilles, est entouré au nord, à l'ouest et au sud par une vaste cour limitée par le mur du péribole. La face externe de ce mur est cantonnée de tours carrées et ornée de fausses archères (en brique crue), tandis qu'un portique longe sa face interne : les entrées des tours sur la cour sont encadrées par des niches abritant des images peintes à même le mur, mais qui ont pratiquement toutes disparu. Le temple lui-même, de plan oblong, se dresse sur un vaste podium dont le mur de soutènement est orné de pilastres à chapiteaux corinthiens à figures analogues à ceux de la plate-forme bouddhique. La cella carrée est cernée sur trois de ses côtés par un déambulatoire, dont les ouvertures encadrent l'entrée côté est de la pièce ; en son centre se trouve une plate-forme carrée en pierre de taille, pourvue à l'arrière d'un escalier d'accès et cantonnée par les quatre bases attiques des piliers supportant la couverture de la pièce. Le temple lui-même est entouré d'un portique érigé sur le podium et dont le toit (plat ?) était bordé par une rangée de merlons à degrés {ill. 116} et décor d'archères. Sur la face est du temple, ce portique abritait deux chapelles qui encadraient la porte de la cella et d'où proviennent très certainement les sculptures trouvées à proximité {ill. 112} : dans la chapelle sud il s'agissait de trois statues de personnages royaux en costume iranien (l'une d'elles est très proche de la statue de Kanishka trouvée à Mathura), et dans la chapelle nord d'un grand bas-relief, très mutilé mais où l'on distingue un personnage assis sur un trône aux lions.

Le dispositif initial du sommet de la colline, que l'on peut dater du règne de Kanishka (v. 127-150 ap. J.-C.), a subi diverses modifications. Les premières se traduisent principalement par le cloisonnement du déambulatoire, l'abandon de la cella du temple A et la construction des temples B (remarquable par son autel « aux oiseaux ») et D. Plus tard, à la suite de l'incendie du temple A (alors abandonné), on réaménage sa cella et on procède à divers travaux sur des tours du mur du péribole.

Le grand escalier et les trois terrasses qui l'interrompent constituent l'élément le plus spectaculaire du monument {ill. 119}. On a vu que ces terrasses sont bordées au sud et au nord par le mur du péribole, dont le retour ferme à l'est la terrasse inférieure, la façade ainsi constituée étant percée en son centre par la porte d'accès au sanctuaire. Celle-ci est située à l'aboutissement d'une dernière volée de marches menant à une terrasse dite de base : extérieure, donc, au péribole, elle est longée par un canal parementé de pierres de taille, qui provient de l'autre côté de la plaine où il est alimenté par la rivière de Kunduz. Ces aménagements seront modifiés par le creusement d'un puits situé sur l'axe général du sanctuaire, au-delà du canal sur lequel mord son escalier d'accès.

La zone du bas du sanctuaire est remarquable par les trouvailles épigraphiques qui y ont été faites : il s'agit tout d'abord de l'inscription dite « de fondation », gravée en grands caractères sur une rangée de blocs qui courait sur le mur de façade de la terrasse inférieure. C'est la découverte en 1951 de quelques-uns de ces blocs, détachés de la façade, qui avait déclenché la fouille, mais ce n'est qu'en 1960 que ceux qui portent la fin du texte ont été trouvés encore en place, ce qui a permis de localiser l'inscription (dont le texte n'a pu être reconstitué). En revanche, on a trouvé dans le même secteur trois versions complètes d'un long texte commémorant la restauration du sanctuaire par un certain Nokonzok : l'une d'elles figure sur un gros monolithe tandis que la gravure des deux autres occupe la face de nombreux blocs d'appareil trouvés réemployés dans la construction du puits.

La découverte de ces textes, où l'alphabet grec est utilisé pour transcrire une langue irano-bactrienne jusqu'alors essentiellement connue par des légendes monétaires, est l'un des grands apports des fouilles de Surkh Kotal. Un autre, non moins important, se trouve dans la réécriture de l'histoire de l'art de « l'Orient hellénisé » à laquelle a été conduit Daniel Schlumberger. Dès 1960, il a pu démontrer l'existence d'un « art kouchan » issu principalement de l'hellénisme bactrien ; cet art, dont relèvent trois écoles régionales (bactrienne, gandharienne et mathurienne), est essentiellement dynastique et bouddhique. À l'instar de l'art parthe, dominant dans un domaine plus occidental, cet art kouchan est un « descendant non méditerranéen de l'art grec », pour paraphraser le titre de l'article fondateur de Schlumberger[1].

ill. 115
Chapiteau au Bouddha
Afghanistan, Surkh Kotal, IIe-IIIe siècle
Calcaire ; H. 21 ; L. 32,5 ; P. 21 cm
Paris, MNAAG, fouilles de la DAFA, mission Daniel Schlumberger (1968), MA 3193

ill. 116
Merlon à décor de flèche
Afghanistan, Surkh Kotal, IIe-IIIe siècle
Calcaire ; H. 39 ; L. 34 ; P. 12 cm
Paris, MNAAG, fouilles de la DAFA, mission Daniel Schlumberger (1968), MA 319

1 Paru dans *Syria. Revue d'art oriental et d'archéologie*, 1960, t. XXXVII, fasc. 1-2, p. 131-166 ; repris et développé dans Schlumberger, 1970.

ill. 117
Transport de l'inscription bactrienne TK4
Afghanistan,
Surkh Kotal
Photographie mission
Daniel Schlumberger,
1957-1960
Paris, MNAAG,
archives photographiques

ill. 118
Cella du petit temple ornée de *garuda*
Afghanistan,
Surkh Kotal
Photographie mission
Daniel Schlumberger,
1952-1963
Paris, MNAAG,
archives photographiques,
SK 2 1280

→ ill. 119
Escalier monumental
Afghanistan,
Surkh Kotal
Photographie mission
Daniel Schlumberger,
1952-1963
Paris, MNAAG,
archives photographiques,
D-2133

La DAFA et la numismatique de l'Afghanistan

Frantz Grenet

ill. 120
Raoul Curiel à Karachi, alors directeur des Antiquités du Pakistan
Photographie Ryka Gyselen, 1954-1958

Au sens strict, la DAFA n'a compté, de 1922 à 1982, qu'un seul spécialiste de la numismatique : Raoul Curiel (1913-2000), qui terminera sa carrière comme conservateur des monnaies orientales au Cabinet des médailles de la Bibliothèque nationale de France. Plusieurs archéologues de la DAFA ont certes eu à faire face aux défis scientifiques que posaient les monnaies mises au jour, et, bien mieux que de s'improviser numismates, ils ont su hisser leurs publications au meilleur niveau de la discipline.

La voie est ouverte par Roman Ghirshman[1] mais le déchiffrement des légendes en langue et écriture bactriennes n'en était encore alors qu'à ses balbutiements, et les travaux de l'école autrichienne (Robert Göbl, Michael Alram, Klaus Vondrovec) ont depuis rendu obsolètes ses essais. Pour l'époque grecque, d'autres jalons sont plus tard marqués par Raoul Curiel et Gérard Fussman, avec la publication assez iconoclaste du trésor monétaire de Kunduz[2], puis par Paul Bernard, qui publie ou copublie les monnaies trouvées à Aï Khanoum[3]. Mentionnons aussi Gérard Fussman pour celles de Surkh Kotal[4].

Il faut réserver un sort particulier à *Trésors monétaires d'Afghanistan*[5], ouvrage pionnier et à bien des égards fondateur, réunissant trois articles. La DAFA se trouvait alors dans une phase transitoire, après un retour à Bactres au bilan jugé (à tort) décevant, la fouille plus spectaculaire mais brève de Lashkari Bazar, et alors que la longue entreprise de Surkh Kotal était tout juste amorcée. Dans le premier article, « L'argent grec dans l'empire achéménide », relatif au trésor du Chaman Hazouri (Kaboul), découvert en 1933 et enfoui une cinquantaine d'années avant la conquête d'Alexandre, Daniel Schlumberger traite à fond la question de la circulation monétaire dans l'empire achéménide, confirmant que la monnaie d'argent grecque et ses imitations ont joué un rôle beaucoup plus important que la monnaie impériale, et cela jusque dans les satrapies les plus orientales. « Le trésor de Mir Zakah

1 Ghirshman, 1948.
2 Curiel et Fussman, 1965.
3 La dernière publication étant Bernard, 1985.
4 Fussman et Guillaume, 1990.
5 Curiel et Schlumberger, 1953.

ill. 121
Statère à l'effigie de Kanishka Ier tenant une lance et un croc à éléphant, et faisant une oblation ; au revers, Oesho (Wesh) à quatre bras tenant le foudre, le sceptre, la hachette et la gazelle
Provenance inconnue, 127-153 apr. J.-C.
Or ; D. 2,7 cm / 7,88 g
Paris, MNAAG, fouilles de la DAFA, mission Joseph Hackin (1934-1937), MG 24357

ill. 122
Quart de statère de Kanishka Ier ; Bouddha au revers
Provenance inconnue, 127-153 apr. J.-C.
Or ; D. 1,4 cm / 1,96 g
Paris, Bibliothèque nationale de France, 1981.3.2

ill. 123
Monnaie alkhan : buste de roi à l'avers, marque en creux au revers
Provenance inconnue, Ve siècle
Argent ; D. 2,9 cm
Paris, MNAAG, MG 24371

près de Gardez », par Raoul Curiel et Daniel Schlumberger, publie les résultats de l'étude d'un premier lot de monnaies (indiennes, grecques, indo-scythes, indo-parthes, kouchanes) et d'objets d'or, découverts de façon fortuite et dont une fouille rapide a permis de déterminer le contexte : ils proviendraient d'une source sacrée où les pèlerins auraient pendant plusieurs siècles jeté des offrandes. Mir Zakah revient dans l'actualité en 1992 avec une série de trouvailles beaucoup plus importantes, acquises sans aucun contrôle et immédiatement exportées. On pense aujourd'hui qu'il s'agit d'un immense trésor, sans doute celui de l'État lui-même, rassemblant des lots de dates diverses, et caché en une seule fois lors de la chute de l'empire kouchan. Il n'en reste pas moins que la fouille de Raoul Curiel et Marc Le Berre, sécurisée par les autorités locales (ce qu'elles ont été incapables de refaire dans les années 1990), fournit les seules données archéologiques disponibles encore aujourd'hui. « Le trésor du Tépé Maranjān », de Raoul Curiel, est la publication d'un autre trésor trouvé à Kaboul en 1933 lors d'une fouille de Jean Carl. Comprenant des monnaies sassanides et kouchano-sassanides, il a été enfoui sous le règne de Shapur III (r. 383-388), sans doute lors de l'arrivée dans la région d'envahisseurs descendus de Bactriane et que l'on peut identifier aux Alkhan, groupe de Huns qui émettra ultérieurement des monnaies au Gandhara. Le nom de Kidara, fondateur de la dynastie des Huns Kidarites, que les indices non numismatiques situent plutôt entre 420 et 467, se retrouve souvent sur les monnaies les plus tardives du trésor, mais Curiel conteste ce point de vue avec des arguments qui gardent aujourd'hui leur pertinence. Ce trésor et l'étude qu'il en a donnée restent fondamentaux pour la compréhension de cette période charnière, où l'emprise sassanide s'efface durablement à l'est pour laisser place à de nouveaux maîtres d'origine nomade, huns puis turcs, qui se maintiendront au pouvoir jusqu'à la conquête arabe.

Lashkari Bazar

Nicolas Engel

ill. 124
Plan du palais sud
Afghanistan, Lashkari Bazar
D'après Schlumberger, 1978

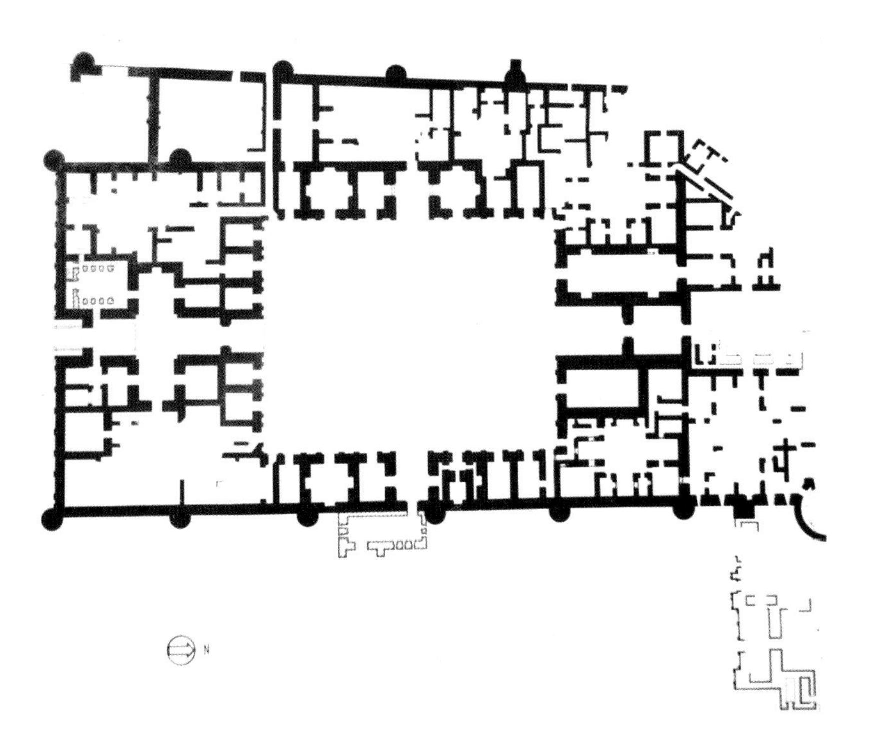

Lashkari Bazar, au sud de la ville actuelle de Lashkar Gah, dans la province de l'Helmand, fut la capitale d'hiver des souverains ghaznévides et ghurides, une ville riche et prospère du xe au début du xiiie siècle. Le site s'étend, sur 1,4 kilomètre de long, le long de la rive orientale de la rivière Helmand ; la forteresse de Bust, dont l'occupation remonte au viie siècle, en marque l'extrémité méridionale.

Le site était partiellement connu depuis la fin du xixe siècle. Visité par Jules Barthoux en 1931, il est photographié par Joseph Hackin. Daniel Schlumberger le redécouvre lors d'un rapide voyage de prospection en avril 1948, et en saisit toute la potentialité dans le contexte d'une demande afghane de grandes fouilles sur la période islamique.

Les fouilles de la DAFA se déroulent de 1949 à 1951, à raison de deux campagnes par an, et réunissent pour la première fois des spécialistes de disciplines diverses : Marc Le Berre pour l'architecture, Jean-Claude Gardin pour la céramique, Janine Sourdel-Thomine pour l'épigraphie. Le rapport de Schlumberger est publié en l'état en 1978[1], après son décès, bien qu'il soit incomplet et ne tienne pas compte des travaux réalisés par la suite par une mission américaine.

La ville, détruite lors d'une incursion de Gengis Khan ou d'un raid des Khwarazmshahs au début du xiiie siècle, n'a pas été réoccupée ensuite. Les structures architecturales, comme fossilisées, sont conservées sur une élévation pouvant aller jusqu'à 16 mètres de haut.

Plusieurs palais s'échelonnent le long de la rivière, séparés par des aménagements publics

1 Schlumberger, 1952 ; Schlumberger, 1978.

ill. 125
Vue générale du site depuis le palais sud
Afghanistan, Lashkari Bazar
Photographie Josephine Powell, 1959-1961
Harvard Fine Art Library

ill. 126
Fouille de la cour centrale du palais sud
Afghanistan, Lashkari Bazar
Photographie mission
Daniel Schlumberger, 1949
Paris, MNAAG, archives photographiques, D-252

– mosquée, bazar – ou de vastes espaces enclos aménagés en jardins ou en caravansérails. Les murs des palais, en briques crues ou *pakhsâ*, parfois renforcés de bois, sur des fondations en pierre ou en briques cuites, sont associés à des tours semi-circulaires. À l'intérieur, les pièces sont distribuées symétriquement par rapport à des axes nord-sud et est-ouest. Les cours sont aménagées avec des *iwan* ; des loggias ou portiques donnent sur la rivière.

Le palais sud est le mieux préservé, le plus vaste aussi avec 165 mètres de long pour 95 mètres de large. Sa construction, qui a débuté sous le règne de Mahmoud de Ghazni (r. 998-1030), est achevée par son successeur Massoud Ier (r. 1031-1040). Incendié, comme les autres palais, en 1150-1151 lors de la conquête ghuride de 'Ala al-Din Hosayn, dit Jahansuz (r. 1149-1161), il est restauré et agrandi sous les Ghurides : au-dessus du portail d'entrée, un bandeau inscrit en caractères coufiques commémore la restauration du palais, à la date partiellement conservée de 55 (?) A.H., soit entre 1155 et 1163. Son plan présente, sur deux niveaux, des appartements privés avec des bains alimentés en eau courante, une mosquée servant d'oratoire privé, des salles pour les fonctionnaires et courtisans, notamment une salle d'audience surplombant la rivière par un portique. Le décor mural se compose de stucs aux motifs géométriques et floraux, de briques et d'éléments de terre cuite sculptés, et de peintures murales de la période ghuride. Il a été en grande partie déposé lors des fouilles, pour être conservé au musée de Kaboul.

Depuis 2008, en raison de l'afflux de populations fuyant les combats et se regroupant autour de Lashkar Gah, certaines ruines ont été réoccupées et aménagées en habitations, menaçant l'intégrité et la préservation du site.

ill. 127
Entrée nord du palais aux Raquettes
Afghanistan, Lashkari Bazar
Photographie Josephine Powell, 1959-1961
Harvard Fine Art Library

ill. 128
Bassin de l'appartement III du palais sud
Afghanistan, Lashkari Bazar
Photographie Josephine Powell, 1959-1961
Harvard Fine Art Library

ill. 129
Palais du centre
Afghanistan, Lashkari Bazar
Photographie mission Daniel Schlumberger, 1950
Paris, MNAAG, archives photographiques, E 1061

ill. 130
Dépose des stucs de l'oratoire du palais sud par Marc Le Berre et Geneviève Casal
Afghanistan, Lashkari Bazar
Photographie Jean-Marie Casal, 1951
Paris, MNAAG, archives photographiques, L 45

ill. 131-132
Peintures murales de la salle d'audience du palais sud
Afghanistan, Lashkari Bazar
Photographie Marc Le Berre, vers 1951
Paris, Collège de France, archives, fonds Le Berre, IEI 356-CC02029LB et IEI 358-CC02045LB

Les peintures de Lashkari Bazar

Les peintures murales découvertes en 1949 dans le grand palais sud de Lashkari Bazar font partie des très rares exemples de l'art figuratif monumental comportant des représentations de personnages, daté de l'époque pré-mongole et développé dans les régions orientales du monde islamique. Très prisées à l'époque préislamique, comme en témoignent des découvertes sur de nombreux sites en Afghanistan et surtout en Asie centrale, ces peintures sont rares dans les maisons des citadins après l'arrivée de l'islam[1]. Les quelques exemples retrouvés à Hulbuk[2] (Tadjikistan), Samarkand[3] (Ouzbékistan) et Lashkari Bazar[4] ornaient les résidences « royales » des souverains musulmans locaux : les splendides décors de leurs demeures rehaussaient leur prestige tout autant que celui de leur dynastie (Banijurides, Qarakhanides, Ghaznévides, Ghurides).

Les peintures – à la détrempe sur un enduit de chaux – retrouvées dans différentes salles axiales du palais sud y jouent un rôle important. Lorsqu'elles sont non figuratives, elles complètent le décor ornemental et géométrique exécuté sur d'autres supports, notamment les briques cuites et surtout le stuc. Elles sont en revanche les seules à véhiculer l'image humaine dans le palais.

À l'exception d'une tête de personnage sur une colonnette de la salle IV, toutes les figures ont été trouvées dans la grande salle d'audience I, à l'extrémité nord de l'axe principal du palais. La partie centrale de cette salle est constituée d'un grand *iwan* qui s'appuie sur six piliers. Les peintures occupent le registre inférieur de la face interne de chaque pilier, interrompues seulement par les ouvertures. Elles représentaient un alignement de personnages debout ; les visages, qui ont disparu, sont de trois quarts, le corps de face et les pieds de profil. Au-dessus de leurs têtes nimbées se trouvait, semble-t-il, une frise d'animaux passants. Les vestiges de quarante-quatre figures humaines ont été repérés ; compte tenu des piliers détruits, leur nombre total devait atteindre la soixantaine. Toutes portaient le même type de caftan à grands revers, fait de riches étoffes aux couleurs et aux motifs variés. Les personnages, sans doute la garde du souverain, tiennent le manche d'un objet qui ressemble à une massue.

Ces peintures sont une parfaite illustration du cérémonial et de la pompe – connus grâce aux sources textuelles – qui se rencontraient à la

1 Wilkinson, 1986.
2 Siméon, 2012.
3 Karev, 2013.
4 Schlumberger, 1978, p. 61-65, 101-108.

cour des Ghaznévides et des Ghurides, dont les *ghulam* (à l'origine de jeunes esclaves militaires) constituaient un élément à la fois guerrier et symbolique, indispensable pour magnifier le rôle central du souverain. Leur fonction est ici en quelque sorte déléguée aux figures peintes, qui assurent une présence permanente auprès du trône même en l'absence du souverain. Cet aspect est accentué par les inscriptions : la sourate du Coran qui figure au-dessus de l'un des piliers fait référence au trône de la reine de Saba et à sa visite au roi Salomon.

La chronologie des peintures n'est pas établie avec certitude, d'autant que le décor a été repeint à au moins deux reprises. En se basant sur l'analyse de l'épigraphie et du décor non figuratif des registres supérieurs, Janine Sourdel-Thomine a proposé de dater l'ensemble ornemental de la salle d'audience entre les règnes des Ghaznévides Ibrahim (1059-1099) et Bahram Shah (1118-1152)[5]. **Yury Karev**

5 Sourdel-Thomine, 1978, p. 36.

Un territoire à prospecter

Nicolas Engel

ill. 133
Minaret
Afghanistan, Daulatabad
Photographie Jean-Marie Casal, 1947
Paris, MNAAG, archives photographiques

« Ni les prospections de Joseph Hackin avant 1940, ni les nôtres depuis 1945, n'ont amené de découvertes de premier plan », tranche Daniel Schlumberger en 1959[1], insistant sur les limites de cette démarche dans un Afghanistan où les déplacements sont difficiles dès que l'on s'écarte des routes existantes, et reprenant là une réflexion de Marc Le Berre sur ses prospections dans les environs de Balkh de 1947 à 1949. Schlumberger se réjouit donc de la prochaine mise à disposition de photographies aériennes au 1/50 000 et au 1/100 000, commandées par l'État afghan à une compagnie américaine en 1957.

Alfred Foucher avait cependant, dès octobre 1922 et jusqu'à son départ en 1924, identifié les grands sites à fouiller par la DAFA par l'exploration des environs de Kaboul, des régions de Kapisa et de Jalalabad, puis, suivant la route qu'aurait prise Alexandre le Grand, des vallées de Kunduz, Kamar, Andarab et Khulm. « Nous avons, M. Foucher et moi, parcouru le pays à cheval, Hiuan Tsang en main, cherchant à identifier les endroits célèbres dont il parle », note André Godard qui l'accompagne quelque temps[2]. Joseph Hackin avait quant à lui exploré le Turkestan en 1924, suivi en 1926 par Jules Barthoux qui, cherchant à retrouver en Bactriane la route de Marco Polo, avait découvert le site d'Aï Khanoum, « station ancienne dont il reste un fort[3] ». En 1936, le Séistan afghan avait à son tour été prospecté, photographié et filmé par Joseph et Ria Hackin, Jean Carl, Jacques Meunié et Roman Ghirshman[4].

Ces prospections menées par la DAFA comme par d'autres missions étrangères, bien que non systématiques, permettent progressivement de nourrir le projet de carte archéologique de l'Afghanistan. Des monuments oubliés sont redécouverts et étudiés, tels le minaret de Jam, la mosquée de Noh Gonbad, les « châteaux forts » de l'Hindou Kouch ou les ruines de la vallée du Wardak et de la région de Kaboul ; des plans sont dressés et des publications s'ensuivent[5].

À partir de la fin des années 1960, les programmes de prospection prennent davantage d'envergure. Pour certains, l'heure est moins à la fouille d'un unique site des années durant qu'à la compréhension globale d'un territoire à une époque donnée : prospections allemandes de 1968 à 1973 dans le Séistan afghan, prospections soviétiques de 1969 à 1979 dans la région de Balkh sur les périodes anciennes

1 Schlumberger, 1960b.
2 Courrier archives MNAAG.
3 Tarzi, 1996.
4 Hackin, Carl et Meunié, 1959.
5 Dagens, Le Berre et Schlumberger, 1964 ; Fussman, 1974 ; Fussman et Le Berre, 1976 ; Le Berre, 1987 ; Fussman, 2008 ; Golombek, 1969 ; Pougatchenkova, 1969.

de l'Afghanistan, prospection de la DAFA dans la plaine d'Aï Khanoum de 1974 à 1976, puis dans le Haut-Tokharestan de 1976 à 1978… La collecte de tessons de céramique, qui s'était développée pour la DAFA à Bamiyan, Balkh et Lashkari Bazar après la Seconde Guerre mondiale et dont l'étude est confiée à Jean-Claude Gardin puis Bertille Lyonnet, s'intensifie au fil des prospections[6] ; elle donne lieu à la création au musée de Kaboul, en 1980, d'un tessonnier de référence pour le nord de l'Afghanistan. C'est donc naturellement que la reprise des travaux de terrain de la DAFA à Balkh en 2004, sous la direction de Roland Besenval, s'accompagne de missions de prospection dans la région, avant que les conditions de sécurité ne s'y dégradent de nouveau à partir de 2011.

6 Gardin, 1957a ; Gardin, 1957b ; Gardin, 1963 ; Lyonnet, 1997.

↑ **ill. 134**
Campement
Afghanistan, Tar-o Sar
Photographie mission Joseph Hackin, 1936
Paris, MNAAG, archives photographiques, 8838-21

ill. 135
Campement, les tentes et la « Laffly »
Afghanistan, Tar-o Sar
Photographie mission Joseph Hackin, 1936
Paris, MNAAG, archives photographiques, 8838-12

→ **ill. 136**
Vue de l'enceinte extérieure depuis la citadelle
Afghanistan, Tar-o Sar
Photographie mission Joseph Hackin, 1936
Paris, MNAAG, archives photographiques, 84231-15

ill. 137
Tour octogonale
Afghanistan, Shahr-e Zohak
Photographie Marc Le Berre, années 1960
Paris, MNAAG, archives photographiques

ill. 138
Tour de la ruine 15
Afghanistan, Shahidian
Photographie Marc Le Berre, années 1960
Paris, MNAAG, archives photographiques

→ ill. 139
Forteresse de Shahr-e Zohak
Photographie Josephine Powell, 1959-1961
Harvard Fine Art Library

Le minaret de Jam

Nicolas Engel

Ahmad Ali Kohzad, directeur du musée de Kaboul, est averti en 1944 de l'existence d'une haute tour dans la région du Ghor. L'information reste invérifiée jusqu'à ce qu'André Maricq, alors directeur adjoint de la DAFA, décide d'y aller en 1957 à l'occasion d'une mission dans la région. Il découvre le minaret dans une vallée accidentée, au point de confluence des rivières Hari Rud et Jam, à 215 kilomètres à l'est d'Hérat. Son temps étant compté et les déplacements difficiles, il ne peut rester plus d'une journée sur place mais s'efforce de rassembler le plus de données possible.

Construction gracieuse haute de 65 mètres, le minaret présente une base octogonale de 9 mètres de diamètre. Ses quatre fûts cylindriques superposés s'effilent progressivement. Les parois sont entièrement revêtues d'un décor géométrique en relief travaillé de brique cuite, rehaussé d'une inscription coufique en émail bleu turquoise donnant le nom du commanditaire et la date de construction. Érigé en 1194 par le grand sultan ghuride Ghiyas ud-din (1157-1203), il marque probablement l'emplacement de l'ancienne cité de Firozkoh, sans doute capitale d'été de la dynastie ghuride qui a régné aux XIIe et XIIIe siècles sur un vaste empire s'étendant de l'Iran à l'Inde du Nord et englobant une grande partie de l'Asie centrale. Il s'agirait d'une tour de victoire, monument commémoratif plus que religieux qui pourrait avoir été édifié après la victoire de Ghiyas ud-din à Delhi, en 1192, sur l'empire ghaznévide.

Le minaret de Jam a joué un rôle significatif dans la diffusion de cette forme architecturale jusqu'en Inde. Il a directement inspiré le Qutb Minar à Delhi, dont la construction, commencée en 1202, s'est achevée au début du XIVe siècle. Exceptionnel par ses dimensions, son élégante ornementation et son implantation spectaculaire, il est inscrit sur la Liste du patrimoine mondial de l'Unesco en 2002 ; il s'agit cependant d'un patrimoine en danger.

Une étude topographique menée en 1959 par l'université de Cambridge est suivie en 1961-1962 d'une étude architecturale du monument par Andrea Bruno pour le compte de l'IsMEO. D'autres études, dans les années 1970, visent à déterminer le degré d'inclinaison du minaret, qui serait due à la sape progressive de sa base par l'eau des rivières confluentes. Les divers murs construits dès 1963, repris et étendus à plusieurs reprises afin de canaliser en amont les eaux de la Jam et de la Hari Rud, n'ont que partiellement résolu le problème de l'érosion dont elles sont la cause, d'autant que les crues abondantes se multiplient aujourd'hui. Un scan 3D du minaret et de son environnement a été réalisé en 2012 par la société Iconem sous l'égide de l'Unesco.

Un ensemble d'épitaphes portant des inscriptions hébraïques a été découvert à partir de 1962 sur la colline voisine de Kushkak ; elles sont datées des XIe et XIIe siècles. Des vestiges de fortifications et de tours sont perchés sur la rive opposée de la rivière Hari Rud, au nord du minaret ainsi qu'à l'est.

ill. 140
Minaret de Jam
Photographie Josephine Powell, 1959-1961
Harvard Fine Art Library

Les cultures minoritaires de l'Hindou Kouch et les Kalash pakistanais

Julien Rousseau

Du centre de l'Afghanistan au nord du Pakistan, la vallée de l'Hindou Kouch offre une grande diversité linguistique et culturelle de populations d'origine indo-iranienne, autrefois désignées sous le nom générique et péjoratif de *kafir* (« infidèle »). Après avoir résisté à l'islamisation, l'ancien Kafiristan afghan devient le Nouristan (« terre de lumière ») à la suite des campagnes militaires conduites par l'émir de Kaboul Abdur Rahman en 1895 et 1896. Les « kafirs » de Chitral, au nord-ouest du Pakistan actuel, échappèrent quant à eux à la conquête grâce à la protection du Raj britannique.

Ces kafirs pakistanais ou kafirs « noirs », en référence à la couleur de leur costume traditionnel, se désignent eux-mêmes sous le nom de Kalash, ou « hommes de lois ». Restés jusqu'à récemment en marge de la civilisation islamique, les Kalash ont conservé une spécificité linguistique et culturelle qui n'a pas manqué d'intéresser les anthropologues, ainsi qu'en témoignent les ensembles ethnographiques aujourd'hui conservés au musée du quai Branly – Jacques Chirac. Cette société d'agro-pasteurs de montagnes ne compte plus aujourd'hui que quelques milliers de représentants.

Le costume traditionnel féminin demeure un élément folklorique et identitaire de la culture kalash. Il comprend une longue robe noire de laine teintée au brou de noix, d'abondantes parures de perles et une coiffe cérémonielle (*sushut*) maintenue par une couronne (*kupa*) {ill. 142}. Ces parures de tête, brodées et agrémentées de coquillages, de grelots, de perles et d'anciennes monnaies anglaises, étaient reçues par les jeunes filles dès l'âge de cinq ans, âge à partir duquel la coutume leur interdisait de montrer et de couper leurs cheveux.

Les tenues masculines, aujourd'hui tombées en désuétude, sont décrites sur les sculptures funéraires kalash (*gandaho*) bien que celles-ci ne soient pas des portraits mais des reproductions standardisées d'un modèle unique, censé exprimer le prestige du défunt à la suite d'un fastueux rituel funéraire {ill. 148}. Le visage, aux yeux incrustés de cauris ou de pierre blanche, porte une barbe et un turban conique que les hommes n'arboraient que deux fois au cours de leur existence : lors de leur entrée dans la société, à l'âge de sept ans, et sur leur lit de mort. Ces personnages portent habituellement une tenue de chasseur avec poignard, bandoulières et cartouchières sur le torse. Certaines de ces effigies funéraires montent des chevaux à une ou deux têtes {ill. 150} ; elles ont parfois été rapprochées des portraits présents sur les monnaies kouchanes, mais cet animal, véhicule du défunt vers l'au-delà, est avant tout un symbole de richesse et de prestige.

ill. 141
Statue funéraire
Pakistan, vallée de Chitral
Photographie Fosco Maraini, vers 1960
Fondation Alinari pour la photographie

ill. 142
Coiffe *kupa* portée par les femmes et jeunes filles sur le bandeau serre-tête
Population kalash, milieu du XXᵉ siècle
Tissu de laine, coquillages, métal et plastique ;
H. 72 ; L. 33 ; P. 8 cm
Paris, musée du quai Branly-Jacques Chirac, 71.1973.93.4

ill. 143
Coiffe de femme
Population kalash,
vers 1970
Laine brune tissée à la main, garnie de cauris et de boutons ;
H. 108 ; L. 59 ; P. 6 cm
Paris, musée du quai Branly-Jacques Chirac, mission Bernard Dupaigne, 71.1996.58.1.1-2

ill. 144
Bandeau serre-tête
Population kalash,
milieu du XXe siècle
Tissu de laine, cauris, métal, coquillages, perles de verre et plastique ;
H. 80 ; L. 8 ; P. 5,5 cm
Paris, musée du quai Branly-Jacques Chirac, 71.1973.93.3

ill. 145
Robe de cérémonie pour femme
Population kalash, début du XXe siècle
Poil de chameau, coton, boutons de nacre, perles de verre (?), perles de métal, plaques de métal ; H. 124 ; L. 78 ; P. 27,5 cm
Paris, musée du quai Branly-Jacques Chirac, 71.1973.81.1

ill. 146
Femme kalash et autel orné de statues funéraires
Pakistan, vallée de Chitral
Photographie Fosco Maraini, vers 1960
Fondation Alinari pour la photographie

ill. 147
Femmes kalash
Pakistan, vallée de Chitral
Photographie Fosco Maraini, vers 1960
Fondation Alinari pour la photographie

ill. 148
Statue funéraire masculine
Afghanistan, Nouristan (anc. Kafiristan), fin du XIXe siècle
Bois ; H. 127 ; L. 36 ; P. 29 cm
Paris, musée du quai Branly-Jacques Chirac, don Joseph Hackin (1934), 71.1934.99.1

PAGE 175
→ **ill. 149**
Statue funéraire : femme assise
Afghanistan, Nouristan (anc. Kafiristan), fin du XIXe siècle
Bois ; H. 71 cm
Paris, MNAAG, don du roi d'Afghanistan Amanullah (1929), MG 24162

→ → **ill. 150**
Statue funéraire : cavalier
Afghanistan, Nouristan (anc. Kafiristan), fin du XIXe siècle
Bois ; H. 143 cm
Paris, MNAAG, don du roi d'Afghanistan Amanullah (1929), MG 24161

Statues funéraires

L'art du Kafiristan, le « pays des païens », islamisé brutalement en 1895 par l'émir Abdur Rahman pour devenir le Nouristan, le « pays de lumière », témoigne d'un style étrange qui suscita longtemps les mythes et les légendes. Rudyard Kipling a su les magnifier dans sa nouvelle *L'Homme qui voulut être roi* – le Kafiristan comme dernier refuge des armées d'Alexandre, contraintes de survivre dans une région hostile, balayée par les invasions étrangères, mais qui jusqu'au bout a su préserver son indépendance et ses cultes spécifiques, loin du bouddhisme ambiant et de l'islam assez vite conquérant.

Les sculptures en bois aujourd'hui conservées à Paris renvoient en fait à un don du roi Amanullah destiné à mettre fin aux tensions, surgies lors du premier partage franco-afghan à l'issue des fouilles de Païtava en 1925, en raison d'interprétations divergentes de la notion de « pièce exceptionnelle ». Les statues, alors au musée de Kaboul, sont ainsi attribuées à la France par l'émir, heureux peut-être aussi de s'en débarrasser, vu leur pouvoir impie. Pour justifier leur entrée dans les collections nationales, Joseph Hackin écrit à leur sujet en 1926 dans *Artibus Asiae*, puis en 1928 dans *Mythologie asiatique illustrée*, même si leur facture s'éloigne des canons en vigueur à l'époque pour un musée des beaux-arts, relevant plutôt de l'anthropologie. Cette vision négative aboutit d'ailleurs, dès 1934, à la mise en dépôt au musée de l'Homme de deux statues sur quatre, celles-ci se retrouvant en 2006 transférées au musée du quai Branly où elles se trouvent toujours. La plus spectaculaire est une statue funéraire, en pin, portant un haut turban conique, avec enroulement cylindrique tout autour de la tête {ill. 148}. Le musée Guimet a cependant conservé une statue de cavalier {ill. 150}, un flambeau à la main, qui faisait partie de l'un des quatre piliers soutenant la maison des prêtres de Shtiwe, le village le plus élevé de la vallée du Parun, ainsi qu'une figure féminine assise {ill. 149}, élément de l'un des quatre piliers du temple de l'aire sacrée du village de Diogrom, dans la même vallée. **Pierre Cambon**

OUVERTURE INTERNATIONALE

L'arrivée d'autres missions archéologiques, 1950-1979

Nicolas Engel

Le monopole des fouilles accordé à la DAFA en 1922 l'était pour trente ans. La date du renouvellement de la convention, 1952, est l'occasion pour les autorités afghanes d'y mettre fin et d'ouvrir le territoire à d'autres missions étrangères.

Fondé par Giuseppe Tucci en 1933, l'Istituto Italiano per il Medio ed Estremo Oriente (IsMEO) a pour objet l'étude des civilisations du continent asiatique. La mission archéologique italienne en Afghanistan, créée en 1957, se voit confier la région de Ghazni, appuyée par de grandes manifestations patrimoniales[1].

Les recherches américaines débutent dès l'hiver 1950-1951. Si les travaux de Louis Dupree pour l'American Museum of Natural History à Shamshir Gar, près de Kandahar, dans la région de Ghazni, et à Aq Kupruk, près de Balkh, concernent les périodes anciennes (paléolithique supérieur, mésolithique et âge du bronze)[2], George Dales pour l'Université de Pennsylvanie entre 1968 et 1971, puis William B. Trousdale pour le Smithsonian Institute, de 1971 à 1979, explorent le Séistan et ses monuments islamiques[3]. Cette même région accueille de 1968 à 1973 la mission allemande de Klaus Fischer pour l'Université de Bonn, aboutissement de discussions initiées dès les années 1950[4]. Le British Institute of Afghan Studies, fondé en 1972, lance quant à lui ses premières fouilles à Kandahar en 1974, sous la direction de David Whitehouse[5].

Un intérêt marqué pour l'histoire du bouddhisme sous-tend l'arrivée des Japonais : à partir de 1959, une mission de l'Université de Kyoto, avec Shinichi Mizuno puis Takayasu Higuchi, dresse un catalogue photographique des peintures de Bamiyan ; elle mène en parallèle des prospections ou fouilles à Lalma et Basawal (région de Jalalabad), à Durman Tepe et Chaqalaq Tepe (région de Kunduz), puis à Tepe Skandar (région de Kaboul)[6].

La mission archéologique afghano-soviétique, dirigée par Irina Kruglikova, travaille au nord de l'Hindou Kouch de 1969 à 1979. À Dashli, Viktor Sarianidi met au jour un complexe de l'âge du bronze ; à Tillia Tepe et Naibabad des occupations de l'âge du fer[7]. La découverte en 1978 du trésor de Tillia Tepe – parures d'or, bijoux incrustés de pierres semi-précieuses et objets provenant de six tombes individuelles – ouvre de nouvelles perspectives sur les nomades qui ont franchi l'Oxus par vagues successives, aux environs du début de notre ère.

Cette ouverture à d'autres missions étrangères est d'autant plus désirée par le régime afghan que la préservation des sites et monuments, confortée par les grandes directives de l'Unesco dans les années 1960, est indispensable au développement d'un tourisme culturel souhaité, en parallèle à la publication de guides[8]. Mais l'Afghanistan n'a pas les finances nécessaires, et, aux termes de la convention de la DAFA, la France n'est pas tenue de restaurer ni de préserver les sites fouillés. La restauration des monuments est dès lors insérée dans les conventions archéologiques signées : la mosquée de Shah Jahan à Kaboul de 1964 à 1967 puis le mausolée de Sultan Abdul Razzaq à Ghazni, par l'IsMEO, ce dernier édifice étant aménagé en musée ; le mausolée de Khawja Parsa à Balkh, par l'Archaeological Survey of India en 1967, qui œuvre aussi à la consolidation des bouddhas de Bamiyan ; le mausolée de Baba Hatim au nord de Balkh, par la DAFA en 1978-1979.

PAGE PRÉCÉDENTE
Tête de Durga de la chapelle 23 du sanctuaire de Tepe Sardar à Ghazni
(détail de l'ill. 159)

ill. 151
Le mausolée de Baba Hatim en cours de restauration
Afghanistan, Imam Sahib
Photographie Régis de Valence, 1978
Paris, MNAAG, archives photographiques, BH 100

---

1 De courts rapports dans la revue *East and West*, créée par l'IsMEO en 1950, rapportent chaque année l'avancement des travaux.
2 Dupree *et al.*, 1972.
3 Allen et Trousdale, 2019 ; Trousdale et Allen 2022.
4 Fischer, 1974.
5 La revue londonienne *Afghan Studies*, créée en 1978 et incorporée depuis 1985 dans la revue *South Asian Studies*, abrite la majorité des publications.
6 Mizuno, 1967, 1968, 1971 ; les premiers résultats à Tepe Skandar ont été publiés dans les revues de l'Université de Kyoto (*Archaeological Survey of Kyoto University, Kyoto University Archaeological Survey in Afghanistan, Japan-Afghanistan Joint Archaeological Survey*).
7 Sarianidi, 1976, 1979, 1981, 1985.
8 Publiés par l'Afghan Tourist Organization : Dupree et Kohzad, 1965, 1967 ; Dupree, 1971.

La mission archéologique italienne en Afghanistan : soixante-quinze ans de travaux et de mémoire

Anna Filigenzi et Roberta Giunta

La mission archéologique italienne en Afghanistan a été fondée en 1957, sous l'impulsion de Giuseppe Tucci, alors président de l'IsMEO (Istituto Italiano per il Medio ed Estremo Oriente) de Rome, dans le cadre d'un projet plus vaste d'études sur l'« Eurasie », notion qui exprimait le choix d'explorer les différentes cultures de cette macro-région dans une perspective à la fois différenciée et intégrée. La base opérationnelle de la mission en Afghanistan a été, dès le départ, la région de Ghazni. Malgré son aspect désolé, qui avait découragé toute recherche antérieure, la position stratégique de cette région par rapport à la « route du sud » qui reliait l'ouest iranien à l'Inde, ainsi que sa splendeur célébrée par les sources islamiques promettaient des recherches archéologiques fructueuses. Et, de fait, des résultats dignes d'intérêt ont été obtenus depuis le début des activités.

La mission est restée en activité sur le terrain jusqu'à la fin des années 1970 ; l'occupation soviétique et les conflits qui ont suivi ont alors marqué une longue interruption des travaux qui a duré jusqu'en 2002. Néanmoins, depuis la fin de l'année 2005, la détérioration rapide des conditions de sécurité dans la région a de nouveau empêché le travail sur le terrain. Les activités se sont donc déplacées vers la région de Kaboul, afin de soutenir les fouilles d'urgence menées par l'Institut d'archéologie d'Afghanistan. Il est également important de souligner que la mission, actuellement gérée par l'ISMEO (Associazione Internazionale di Studi sul Mediterraneo e l'Oriente), qui reprend l'héritage scientifique de l'ancien IsMEO, dont elle a suivi l'acronyme, a bénéficié au fil des ans d'une étroite synergie avec l'université de Naples « L'Orientale », où les membres de la mission ont travaillé et travaillent encore : Alessio Bombaci, Umberto Scerrato, Maurizio Taddei, Giovanni Verardi, qui ont dirigé la mission par le passé, ainsi qu'Anna Filigenzi (directrice actuelle) et Roberta Giunta (directrice adjointe et responsable de la section islamique), rejoints par d'autres jeunes universitaires qui ont consacré leur formation à l'Afghanistan. Cela a permis, même dans les années de discontinuité forcée, de ne pas disperser le patrimoine documentaire et les connaissances, transmis par le changement de génération, et de faire progresser constamment les études théoriques. Ces progrès se reflètent dans le nombre élevé de publications produites et le partage d'informations qui se fait désormais par le biais d'une plate-forme en ligne en libre accès[1].

ill. 152
Tours de la Victoire de Massoud III et de Bahram Shah
Afghanistan, Ghazni
Photographie André Godard, 1923
Paris, MNAAG, archives photographiques, 83214-6

1 Voir la bibliographie sur https://ghazni.bdus.cloud

ill. 153
Fouilles de la terrasse supérieure
Afghanistan, Ghazni, sanctuaire de Tepe Sardar
Photographie fouilles de l'IsMEO, 1962
IsMEO, archives photographiques

ill. 154
Restauration des sculptures de la pièce 75
Afghanistan, Ghazni, sanctuaire de Tepe Sardar
Photographie fouilles de l'IsMEO, 1976
IsMEO, archives photographiques

Ghazni préislamique

C'est Umberto Scerrato, engagé dans les fouilles du contexte islamique de la ville, qui a signalé, dans le rapport des campagnes de fouilles 1957-1958, l'intérêt archéologique potentiel de la colline de Tepe Sardar, où les premiers sondages ont révélé l'existence d'une zone sacrée bouddhique. Probablement fondée au IIe siècle de notre ère par le roi le plus célèbre de la dynastie kouchane, Kanishka (comme l'indique une inscription assez tardive sur les fragments d'un vase), sa durée de vie s'étend au moins jusqu'au VIIIe siècle. Des fouilles régulières ont commencé en 1967, sous la direction de Maurizio Taddei, mettant au jour un établissement de grand intérêt en raison de la complexité de ses solutions architecturales, de ses programmes iconographiques et de ses changements stylistiques, qui illustrent des moments importants du développement de la culture artistique et de la pensée bouddhiques, ainsi que leur interaction avec la société séculière et les sphères politique et économique. Le site est centré sur la terrasse supérieure, où se trouve le stupa principal, entouré de chapelles et d'autres monuments mineurs. Sur la terrasse supérieure, les fouilles ont permis de saisir de manière cohérente et complète les phases récentes, qui se sont développées en oblitérant les restes du sanctuaire le plus ancien, détruit par un incendie mais reconstruit, probablement après un court laps de temps, au VIIe siècle, comme l'indiquent les caractéristiques stylistiques et matérielles du décor sculpté, très similaires à celles de Fondukistan, datables sur la base d'un dépôt monétaire. D'autres complexes mineurs étaient situés le long de la pente de la colline : principalement liés aux phases ultérieures, on y observe cependant quelques survivances importantes d'installations antérieures à la reconstruction générale qui a suivi l'incendie. Il ne serait pas possible de présenter en quelques lignes l'histoire du site, que nous nous contenterons donc d'illustrer par quelques traits saillants : l'empreinte hellénistique de la plus ancienne production sculpturale, appartenant aux phases antérieures à l'incendie, dont de nombreux fragments ont été heureusement retrouvés lors des fouilles d'une zone libre de structures, appartenant au remblai créé par le nivellement des structures détruites, et donc certainement rattachable à la période antique ; l'émergence de proportions colossales dans la sculpture dès les phases précédant immédiatement la destruction et la reconstruction du site ; des changements dans les codes esthétiques de référence clairement illustrés par la production la plus récente, qui préfère au naturalisme l'abstraction élégante des volumes et des physionomies ; l'utilisation, à la fin de la période tardive, d'une finition en argile rouge qui donne aux sculptures l'apparence trompeuse de la terre cuite.

ill. 155
Décor sculpté de la pièce 75
Afghanistan, Ghazni, sanctuaire de Tepe Sardar
Photographie fouilles de l'IsMEO, 1976
IsMEO, archives photographiques

À côté de ces aspects il est aussi question d'expérimentation d'architectures symboliques, comme le montrent les formes disparates des stupas mineurs, dont chacune rappelle une signification partiellement connue – comme le stupa de la « descente », au plan en étoile –, ou l'utilisation de l'octogone, marquant la transition entre le carré et le cercle, respectivement liés à la terre et au ciel, et d'autres formes dont le symbolisme nous demeure inconnu.

Une pièce remarquable, caractérisée par son emplacement isolé et son entrée étroite, avec un « autel » du feu en forme d'étoile au centre, rappelle des rituels manifestement réservés à un cercle étroit issu de la communauté monastique. Pour certains de ces thèmes, le développement des études et l'avancement des connaissances ont été rendus possibles par des comparaisons avec les contextes et les matériaux mis au jour lors de fouilles récentes dans la région de Kaboul, que la mission a soutenues et suivies, en particulier celles de Tepe Narenj et de Qol-e Tut, dirigées par Zafar Paiman, mais aussi celles de Mes Aynak, au sujet desquelles l'Institut d'archéologie d'Afghanistan et la DAFA (dans les années où elle a joué un rôle actif dans les fouilles du site) ont généreusement mis à notre disposition leur documentation.

Aujourd'hui, nous travaillons activement sur certains aspects qui, jusqu'à récemment, n'avaient pas retenu notre attention et dont nous attendons de nouvelles surprises, ainsi que de nouveaux développements relatifs à notre connaissance encore trop limitée de la richesse et de l'importance du patrimoine culturel afghan : la couleur, par exemple, qui donne lieu à des utilisations non naturalistes pleines de références symboliques, ou la valeur de certains motifs qui, jusqu'à présent, étaient considérés comme purement décoratifs et qui s'avèrent cruciaux dans l'interprétation de contextes qui nous sont parvenus de manière incomplète et fragmentaire. Car, comme on commence à le voir de plus en plus nettement, c'est en Afghanistan et dans les régions pakistanaises voisines que le bouddhisme invente des techniques et des langages figuratifs qui ne cesseront pas avec l'affirmation du nouvel univers idéologique représenté par l'islam, mais se transplanteront ailleurs, dans les arts himalayens, où ils continueront à vivre et à se transformer, en conservant toutefois la trace de cette relation filiale ou partagée qui les lie à l'Afghanistan préislamique.

ill. 156
Terrasse supérieure, rangée de stupas et de trônes
Afghanistan, Ghazni, sanctuaire de Tepe Sardar
Photographie fouilles de l'IsMEO, 1968
IsMEO, archives photographiques

Ghazni islamique

L'année 1957 marque le début des fouilles d'un palais royal mis au jour au cours de six campagnes, ainsi que celles d'une habitation privée, connue sous le nom de « maison des Lustres », complètement dégagée en une seule mission. Ces deux édifices, ainsi que les deux minarets en briques cuites avec un fût inférieur en forme d'étoile, de nombreuses tombes en marbre et une multitude d'éléments de décoration architecturale, récupérés un peu partout dans la ville, constituent les seuls témoignages tangibles de la période pendant laquelle Ghazni a servi de capitale aux Ghaznévides puis aux Ghurides, devenant ainsi l'un des principaux centres politiques et culturels des régions musulmanes orientales, pôle d'attraction pour les poètes et les savants. Bien qu'établi au moins cinquante ans plus tard, le plan du palais royal de Ghazni présente des similitudes frappantes avec le plan de celui qui a été découvert par la DAFA, sous la direction de Daniel Schlumberger, dans la zone méridionale de Lashkari Bazar ; il s'agit là de deux très rares exemples d'architecture civile dans ces régions pour le XIe et le début du XIIe siècle. Mais les aspects les plus marquants des survivances médiévales qui, à ce jour, apparaissent indéniablement comme une spécificité de la seule ville de Ghazni, résident sans aucun doute dans le caractère monumental de ses édifices, dans la richesse, à la fois technique et décorative, des éléments en marbre, dans l'apparition de nouveaux styles d'écriture épigraphique, ainsi que dans les particularités morphologiques des tombes pourvues d'éléments superposés et décroissants, dont le prototype remonte à celle du fondateur de la dynastie, Sebüktigin (m. 997). L'absence d'informations sur l'architecture et l'art de Ghazni entre la conquête islamique de la région et l'avènement des Ghaznévides ne permet pas de retracer les origines d'une production aussi singulière, ni d'établir des comparaisons précises avec celle du monde turco-centro-asiatique dont elle s'est sans doute inspirée, ne serait-ce que partiellement. Cependant, l'intense activité de recherche de ces dernières années, qui s'inscrit dans une parfaite continuité de celle menée dans le passé, permet d'approfondir progressivement nos connaissances au sujet d'un patrimoine archéologique de premier ordre, dont la préservation et la mise en valeur figurent parmi les objectifs principaux de la mission.

ill. 157
Décor sculpté de la chapelle 37
Afghanistan, Ghazni, sanctuaire de Tepe Sardar
Photographie fouilles de l'IsMEO, 1970
IsMEO, archives photographiques

ill. 158
Maurizio Taddei posant à côté du pied monumental du Bouddha de la pièce 100
Afghanistan, Ghazni, sanctuaire de Tepe Sardar
Photographie fouilles de l'IsMEO, 1976
IsMEO, archives photographiques

ill. 159
Tête de Durga de la chapelle 23
Afghanıstan, Ghaznı, sanctuaire de Tepe Sardar
Photographie fouilles de l'IsMEO, 1969
IsMEO, archives photographiques

ill. 160
Tête de bouddha paré de la chapelle 23
Afghanıstan, Ghaznı, sanctuaire de Tepe Sardar
Photographie fouilles de l'IsMEO, 1969
IsMEO, archives photographiques

ill. 161
Élément de couronnement d'un tombeau
Afghanistan, Ghazni, cimetière au nord du minaret de Bahram Shah, début du XIIe siècle
Marbre ; H. 31 ; L. 71 ; P. 11 cm
Rome, Museo d'arte orientale, fouilles de l'IsMEO (1966), 7833 (Sp0075)

ill. 162
Élément de couronnement d'un tombeau
Afghanistan, Ghazni, est de la *ziyara* de Sharif Khan, XIIe - première moitié du XIIIe siècle
Marbre ; H. 17 ; L. 70 ; P. 26 cm
Rome, Museo d'arte orientale, fouilles de l'IsMEO (1966), 7825 (Sp0091)

ill. 163
Élément de couronnement d'un tombeau
Afghanistan, Ghazni, cimetière à l'ouest du minaret de Massoud III, fin du XIIe siècle
Marbre ; H. 25 ; L. 55 ; P. 14,5 cm
Rome, Museo d'arte orientale, fouilles de l'IsMEO (1966), 8426 (Sp0072)

Les tombeaux

Les tombeaux découverts dans les cimetières de la ville de Ghazni datent du début de la domination ghaznévide, le spécimen le plus ancien portant le nom du fondateur de la dynastie, Sebüktigin (m. 997). Tous les tombeaux sont en marbre, à l'exception de celui de Mahmud, fils de Sebüktigin (m. 1030), qui est en albâtre rose. La composition de ces monuments funéraires s'ordonne par éléments superposés et décroissants ; leur diversité d'aspect est due, d'une part, au nombre d'éléments qui les composent et, d'autre part, à leur agencement.

Chaque tombeau comprend essentiellement une base et un couronnement, réunis dans la plupart des cas par une, deux ou davantage de pièces intermédiaires. Celle qui se trouve à la base, et qui recouvre l'amoncellement de terre, affecte la forme d'un socle – simple, à degrés ou prismatique – ou d'un cénotaphe composé de quatre plaques verticales ou plus. Les trois types de socle peuvent également servir d'éléments de raccord entre le soubassement et le couronnement.

Ce dernier offre plusieurs variantes. Les plus usitées, surtout aux époques ghaznévide et ghuride, sont représentées par un bloc en dos d'âne ou, plus fréquemment, par un bloc mouluré qui, vu de profil, affecte la forme d'un vase surmonté d'un fleuron trilobé. Les couronnements sont toujours des blocs monolithiques ; les éléments inférieurs, à quelques exceptions près, sont formés d'au moins deux blocs rapprochés les uns des autres.

La localisation et la répartition des bandeaux épigraphiques figurant sur les tombeaux ne suivent pas de règles précises : en général, toutes les parties sont susceptibles de comporter au moins un bandeau sur chacune des faces, à l'exception des socles à plusieurs degrés qui sont toujours anépigraphes. Les textes de chacun des éléments sont presque toujours indépendants les uns des autres, assez sobres et peu variés. Le nom du défunt est, dans la plupart des cas, mentionné sur le couronnement {ill. 162} ; la date du décès, souvent omise, peut également figurer sur l'un des éléments inférieurs. Les formules religieuses et les versets coraniques constituent la plus grande partie de l'inscription : sur l'élément de l'ill. 163 le texte, en écriture cursive sur un fond de rinceaux, contient la profession de foi, tandis que sur l'élément de l'ill. 161 l'épitaphe reçoit la *basmala* suivie du début du verset du Coran III,18.

Roberta Giunta

↖ ill. 164
Fouille dans la zone nord-est de la cour centrale du palais ghaznévide
Afghanistan, Ghazni, Photographie fouilles de l'IsMEO, 1962
IsMEO, archives photographiques

ill. 165
Antichambre donnant accès à la mosquée située dans la partie ouest de la cour centrale du palais ghaznévide:
les parois étaient ornées de plaques de marbre et de panneaux épigraphiques en brique cuite sur fond d'alvéoles en stuc
Afghanistan, Ghazni
Photographie fouilles de l'IsMEO, 1966
IsMEO, archives photographiques

Plaques en marbre du palais ghaznévide de Ghazni

ill. 166
Panneau à décor d'octogones sculptés en relief sur un fond orné d'une composition végétale de demi-palmettes et de fleurs de lys
Afghanistan, Ghazni, palais ghaznévide, fin XIe-XIIe siècle
Marbre ; H. 95 ; L. 77 ; P. 6 cm
Rome, Museo d'arte orientale, fouilles de l'IsMEO, 8423 (C2888)

↗ **ill. 167**
Panneau sculpté à décor en trois registres : en haut, une inscription en coufique fleuri ; au centre, une suite d'arcs trilobés alternant avec des compositions végétales ; en bas, deux tiges de feuilles bilobées entrelacées
Afghanistan, Ghazni, palais ghaznévide, fin XIe-XIIe siècle
Marbre ; H. 73 ; L. 58 ; P. 5,5 cm
Rome, Museo d'arte orientale, fouilles de l'IsMEO, 8414 (C2890)

L'utilisation du marbre est abondamment attestée à Ghazni à partir de la période ghaznévide (997-1187), ce qui s'explique par la présence d'une riche carrière située à quelques centaines de mètres de la ville, près du village de Shaki, dûment documentée par Alessio Bombaci en 1957. Un millier de pièces, pour la plupart fragmentaires, ont été découvertes par la mission archéologique italienne lors des fouilles du palais royal, ainsi qu'en plusieurs endroits dans et autour de la ville ; elles fournissent un indice important sur le caractère monumental de ses bâtiments, notamment à l'époque ghaznévide.

Avec la brique cuite et les éléments en stuc, souvent utilisés en combinaison, les marbres formaient le somptueux appareil décoratif de palais, de pavillons et de jardins dont toute trace a aujourd'hui disparu. La variété morpho-typologique de ce matériau est tout aussi intéressante : panneaux muraux de tailles différentes, balustres, encadrements de portes, fenêtres et niches, arcs, bases de colonnes, plaques d'un type dit « à *mihrab* », conduites d'eau à protomés de félins, bassins de fontaines… Presque tous ces éléments sont agrémentés d'un riche décor qui fait appel à un répertoire varié de motifs végétaux, géométriques, anthropomorphes, zoomorphes et épigraphiques. Les inscriptions, tant religieuses que commémoratives, ont souvent fourni une aide précieuse pour la reconstitution de pièces très fragmentaires et, en même temps, ont permis de retracer l'évolution de l'écriture lapidaire pour laquelle les Ghaznévides avaient développé une sensibilité marquée, évidemment aussi à des fins de propagande politique.

Parmi les pièces de marbre les plus représentatives découvertes lors des fouilles du palais royal, il convient de noter les plaques rectangulaires (d'une hauteur moyenne de 75 centimètres) qui revêtaient la partie inférieure des murs et qui étaient décorées, dans la section centrale, de suites d'arcs trilobés et de motifs végétaux et, dans la section supérieure, d'une inscription en vers en persan et en caractères coufiques, ou d'une inscription de vœux en arabe et en caractères cursifs. Les plaques appartenant au premier type (228 unités), particulièrement célèbres, à la fois par le choix de la langue de l'inscription et par son contenu, représentent un *unicum* dans tout l'art islamique. **Roberta Giunta**

ill. 168
Bassin de fontaine orné dans les angles de deux paires d'oiseaux aux cous entrelacés et de motifs végétaux, et d'une étoile à huit pointes gravée sur le fond
Afghanistan, Ghazni, fin du XIe-XIIe siècle
Marbre ; H. 71 ; L. 71 ; P. 6 cm
Rome, Museo d'arte orientale, fouilles de l'IsMEO (1958), 8429 (Sp0008)

ill. 169-170
Éléments décoratifs placés à l'origine à la base de demi-colonnes : le motif d'entrelacs géométriques ou végétaux, dans un cadre carré, est sculpté sur deux des quatre faces
Afghanistan, Ghazni, palais ghaznévide, fin du XIe-XIIe siècle
Brique sculptée ; H. 20 ; L. 20 ; P. 14 cm (gauche), H. 22 ; L. 20 ; P. 14 cm (droite)
Rome, Museo d'arte orientale, fouilles de l'IsMEO, 7336 et 7333

ill. 171
Panneau à entrelacs géométriques en brique cuite, sur la partie inférieure d'un pilier d'une des antichambres du côté nord-ouest de la cour centrale, derrière le vestibule d'entrée du palais ghaznévide
Afghanistan, Ghazni
Photographie fouilles de l'IsMEO, 1961
IsMEO, archives photographiques

↓ ill. 173
Coupe à décor rayonnant
Iran, Kashan, premier quart du XIIIe siècle
Céramique, décor de lustre métallique sur glaçure opacifiée ;
H. 10 ; D. 22,4 cm
Paris, musée du Louvre, département des Arts de l'Islam, legs Yedda Godard (1977), MAO 526

ill. 172
Coupes en céramique à lustre métallique découvertes, presque intactes, dans une niche de la zone nord-est d'une maison privée dite « maison des Lustres »
Afghanistan, Ghazni
Photographie mission IsMEO, 1957
IsMEO, archives photographiques

Carreaux de céramique

Un corpus de 437 carreaux de céramique glaçurée a été collecté par la mission archéologique italienne à Ghazni : 347 ont été découverts lors des fouilles du palais ghaznévide, 18 dans la maison dite « des Lustres », et 72 spécimens ont été achetés sur les marchés de Kaboul et de Ghazni. Les carreaux, en argile cuite, sont fabriqués par moulage. Ils sont monochromes, la couleur – jaune, rouge, brun, vert ou turquoise – étant due aux revêtements (engobe et glaçure). Leur forme est carrée, rectangulaire, hexagonale, octogonale ou en étoile. Leur largeur maximale ne dépasse pas les 10 centimètres, tandis que leur épaisseur moyenne est d'environ 0,7 à 1 centimètre.

Les carreaux se divisent en deux groupes, l'un dépourvu de décor, l'autre portant une décoration moulée en relief. La plupart des 228 carreaux du premier groupe sont carrés et recouverts d'une glaçure verte transparente ou turquoise opaque. Les carreaux en forme d'hexagone régulier sont surtout turquoise ou jaunes. La variante en forme d'hexagone allongé est associée à des glaçures opaques jaune et turquoise. Les carreaux en forme d'étoile appartiennent exclusivement à ce premier groupe.

Le deuxième groupe comprend 202 carreaux ; leur décoration se compose d'un motif central entouré d'un cadre perlé ou à rinceaux végétaux. Les carreaux de ce groupe peuvent à leur tour être subdivisés en deux catégories en fonction de leur décor, végétal ou zoomorphe. Les carreaux à décor végétal sont généralement hexagonaux, verts, rouges ou jaunes ; le motif le plus courant est composé de bourgeons, de feuilles ou de palmettes jaillissant d'un élément géométrique central. Les carreaux à décor zoomorphe sont presque toujours carrés, jaunes, verts ou rouges. Un quadrupède – gazelle, antilope, félidé, lièvre – est le motif représenté le plus récurrent. Certains spécimens portent des capridés et des paons se faisant face, ou, plus rarement, un aigle bicéphale ou un cavalier.

Ces pièces ont été produites entre la fin du XIe siècle et le début du XIIIe siècle.

Roberta Giunta

ill. 174
Carreau quadrangulaire
Afghanistan, Ghazni, fin du XIe-XIIe siècle
Céramique à décor moulé sous glaçure ; H. 9 ; L. 9 cm
Rome, Museo d'arte orientale, fouilles de l'IsMEO, 5901

ill. 175
Dessus de meuble ou plateau
Iran
Dernier quart du XIIe siècle - premier quart du XIIIe siècle
Laiton martelé, décor incrusté d'argent, de cuivre et de pâte noire ; H. 20,5 ; L. 30,6 ; P. 3,9 cm
Paris, musée du Louvre, département des Arts de l'Islam, don André Nègre (1976), MAO 499

Les métaux de Ghazni

Les premières recherches archéologiques menées à Ghazni par la DAFA remontent aux années 1920 et 1930 : c'est au cours des missions de Joseph Hackin que sont découverts les premiers objets prémongols en métal de la capitale ghaznévide, puis ghuride à partir de 1150. Donnés au musée du Louvre en 1934, ils comprennent un couvercle d'encrier incrusté d'argent et de cuivre rouge {ill. 177} et un plateau de balance à décor ciselé {ill. 176}. Il s'agit certainement de productions de la ville (Collinet, 2021, p. 151-177), si l'on se réfère aux nombreuses découvertes similaires réalisées lors des missions de l'IsMEO entre les années 1950 et 1970, et aux recherches menées dans le cadre du projet Islamic Ghazni, lancé en 2004 (Laviola, 2020).

Six personnages occupent les godrons du couvercle d'encrier {ill. 177}. Il s'agit de dignitaires de haut rang et de princes : ils portent en effet *tiraz* (broderie sur les manches des robes d'honneur) et *sharbush* (coiffe de fourrure), insignes de pouvoir, suggérant qu'il s'agit là d'une scène d'audience et de banquet. Le revers du plateau de balance {ill. 176} est inscrit au nom de son propriétaire, Mahmoud ibn 'Uthman (r. 998-1030). L'autre plateau de la balance, également mis au jour à Ghazni, est conservé au musée de Kaboul (inv. 58-2-61), où il est documenté depuis 1958 d'après les archives de l'IsMEO. De mêmes dimensions, il porte la même composition de signes du zodiaque autour d'un sphinx.

Trois trous de suspension, équidistants et dans l'axe du décor, ainsi que la forme aplatie de ces objets permettent d'interpréter leur fonction. Les montants ont disparu mais il s'agissait sans doute d'une balance à fléaux, similaire à celle évoquée sur l'objet par son signe astrologique. Le décor est organisé en cercles concentriques : sous le bord se déroule un bandeau en écriture cursive, une invocation votive en arabe appelant « Gloire, fortune, prospérité, félicité, salut, intercession, gratitude, reconnaissance, considération, grâce, noble action (?), aide, prédestination, [...], victoire, pouvoir ».

Les analyses de matériaux conduites sur la collection du Louvre ont permis d'attribuer à Ghazni des objets jusqu'alors sans provenance précise, comme un « plateau » en laiton incrusté de cuivre et d'argent {ill. 175} issu de la collection André Nègre – constituée en Afghanistan alors qu'il y était diplomate – et donné au musée en 1976. Les impuretés du cuivre incrusté sont les mêmes que celles du métal ayant servi à la fabrication des objets provenant de Ghazni. De plus, les traces de martelage observées sur l'objet sont similaires à celles mesurées sur un « plateau » provenant également du site (Louvre, inv. AA 61). Ces traces laissent penser qu'un même outil a été employé sur les deux objets. **Annabelle Collinet**

ill. 176
Plateau de balance
Afghanistan, Ghazni,
XIIe-XIIIe siècle
Laiton martelé, décor
gravé ; H. 6 ; D. 23,4 cm
Paris, musée du Louvre,
département des Arts
de l'Islam, mission Joseph
Hackin (1934), AA 64

ill. 177
Couvercle d'encrier
aux personnages
Afghanistan, Ghazni (?),
1185-1220
Alliage de cuivre
moulé, décor incrusté
d'argent gravé, de
cuivre et de pâte noire ;
H. 4,6 ; D. 8,6 cm
Paris, musée du Louvre,
département des Arts
de l'Islam, mission Joseph
Hackin (1934), AA 65

L'ancienne Hérat. En quête de l'histoire d'une région

Ute Franke

ill. 178
Citadelle ou Qala Ikhtyaruddin
Afghanistan, Hérat
Photographie Josephine Powell, 1959-1961
Harvard Fine Art Library

PAGE SUIVANTE
ill. 179
Versant nord de la citadelle d'Hérat;
au centre, la porte timouride restaurée
Photographie Ancient Herat Project, 2009

De nos jours, la ville d'Hérat est principalement connue pour avoir été le centre politique et culturel de l'empire timouride, plusieurs bâtiments de cette époque dominant encore de leur silhouette la cité actuelle. Néanmoins, du complexe de Mosalla érigé par Gawharshad, l'épouse de Shah Rokh, fils et successeur de Timour, et des deux ensembles architecturaux commandités ultérieurement par Sultan Husayn Bayqara et son vizir Ali Shir Navaï dans leur voisinage immédiat, seuls le tombeau de Gawharshad {ill. 183} et sept minarets ont survécu aux destructions occasionnées par les troupes britanniques et afghanes en 1885[1]. À l'époque timouride, cependant, un panorama impressionnant s'offre aux voyageurs arrivant des montagnes du nord, avec les murs d'enceinte, la citadelle, les dômes et minarets colorés de la vieille ville.

En réalité, la cité et de nombreux bâtiments sont considérablement plus anciens. Des mentions de la région sous le nom de Haraiva (en vieux persan) ou Areia (en grec), tout comme des représentations de ses habitants, apparaissent dès 520 avant J.-C., sous les Achéménides, dans des sites importants tels que Behistun, Naqsh-e Rostam et Persépolis. La capitale régionale, Artacoana, dirigée par un gouverneur et enregistrée sur les listes de recouvrement des taxes, devait déjà être une ville d'une certaine taille. Son emplacement demeure pourtant inconnu. Les premières indications d'un tissu urbain encore identifiables aujourd'hui remontent au Xe siècle, mais leurs traces matérielles sont enfouies sous la vieille ville et Kuhandaz au nord. La splendeur de la ville pré-timouride ne peut ainsi être devinée qu'à travers des sources historiques et quelques témoignages architecturaux.

Contrairement à d'autres régions de l'Afghanistan, qui ont été intensivement fouillées par les archéologues à partir des années 1940, Hérat, malgré son importance historique attestée, a surtout suscité l'intérêt des chercheurs et historiens de la construction[2]. Les explorations menées par la DAFA, le British Institute of Persian Studies, puis les archéologues russes Viktor Sarianidi et Irina Kruglikova, ont conduit à l'enregistrement de sites, mais pas à des fouilles ou des relevés systématiques[3]. Jusqu'en 1979, les sondages effectués par l'Unesco dans le cadre de la réhabilitation de la citadelle furent les seules fouilles, brièvement décrites, d'Hérat[4]. Les traces de culture matérielle font défaut

---

1 Franke, Urban et Khairzade, 2020 ; Aube, Lorain et Bendezu-Sarmiento, 2019.

2 Saljuqi, 1967 ; Samizay, 1981 ; Allen, 1981 et 1983 ; O'Kane, 1987 ; Golombek et Wilber, 1988 ; Najimi, 1988 ; Szuppe, 1993 ; Noelle-Karimi, 2014.

3 Voir Ball, 2019a et 2019b, mais aussi Kruglikova, 2005 ; Gaibov, Koschelenko et Trebeleva, 2010.

4 Bruno, 1976 et 1981.

et de nombreuses questions sur l'histoire de la ville restent sans réponse[5].

Le projet germano-afghan « Ancienne Hérat », créé en 2004 à la demande du ministère afghan de la Culture, comprend trois volets : la documentation des monuments et des sites pour le Registre provincial des sites d'Hérat (2004-2006), des fouilles archéologiques sélectives dans la ville d'Hérat (2005-2010), enfin la restauration des collections du musée d'Hérat et leur présentation dans la citadelle (2008-2012)[6], le tout en lien étroit avec la formation du personnel afghan d'Hérat et de Kaboul. Conduites en petites équipes, les fouilles ont été limitées en termes d'espace, de moyens et de temps. Le manque de routes dans cette grande province de 55 000 kilomètres carrés, comprenant le bassin intensivement cultivé de la Hari Rud, de hautes chaînes de montagne et des régions de steppe, de même que la présence de mines dans certaines zones et les problèmes croissants de sécurité ont réduit le rayon des déplacements et mis fin aux relevés dès 2006. La télédétection du terrain, alors encore limitée, a été une alternative, mais, pour réunir une documentation correcte – datation et collecte de matériel –, la recherche sur le terrain est aujourd'hui encore indispensable. Conséquence de ces études, des images, des plans et des produits de fouilles sont désormais disponibles pour plus de trois cent quarante sites et monuments – pour beaucoup pour la première fois. La découverte d'un site remontant à la fin du IIIe millénaire avant notre ère et de nombreuses zones de peuplement datant du xe au début du xiiie siècle après J.-C. comble les lacunes des cartes de distribution et apporte un contexte aux objets contemporains conservés dans les collections

5 Gaube, 1977 et 1979 ; Grenet, 1996.

6 En partenariat avec l'Institut allemand d'archéologie et, depuis 2008, le Museum für Islamische Kunst – Staatliche Museen zu Berlin ; les financements ont été apportés par le ministère allemand des Affaires étrangères. Certaines parties ont été réalisées en partenariat avec l'Aga Khan Trust for Culture, la DAFA et l'Unesco.

ill. 180
Fouilles du site de l'ancienne citadelle d'Hérat, tranchée I
La plate-forme de terre et le niveau des habitations, datées au carbone 14 du Ier millénaire av. J.-C., sont recouverts par les dépôts de la fin de la période islamique.
Photographie Ancient Herat Project, 2007

ill. 181
Jarre en terre cuite « pseudo-préhistorique »
Afghanistan, Hérat, xe-début du xiiie siècle
Céramique, décor peint brun et rouge sans glaçure
Musée d'Hérat, 04-46-86b

du musée d'Hérat et un arrière-pays à la ville ancienne[7]. Toutefois, la datation reste souvent difficile à établir du fait de l'absence de dépôts culturels, les céramiques non émaillées et non décorées fréquemment rencontrées n'étant pas caractéristiques et d'une durée de vie longue.

Réaliser des fouilles pourrait aider à résoudre ce problème mais, pour une ville active, la quête de ses racines revient à chercher une aiguille dans une botte de foin. Des excavations horizontales ciblées sont difficilement envisageables : les dépôts culturels sont enfouis sous plusieurs mètres de gravats, sous des bâtiments, des jardins ou des cimetières, et l'architecture historique des édifices est cachée ou a été détruite par des changements structurels ou des restaurations ultérieurs. À partir de choix topographiques et des textes historiques, des sondages ont été effectués dans la citadelle d'Hérat (Qala Ikhtyaruddin), à Kuhandaz et près du cinquième minaret dans le complexe de Gawharshad ; des fosses de construction dans la vieille ville ont également été prospectées. C'est ainsi que, pour la première fois, les traces d'une zone de peuplement remontant au xe-ve siècle avant J.-C. ont été mises en évidence dans la citadelle {ill. 180} et à Kuhandaz[8]. De manière surprenante, ces dépôts sont directement recouverts par des couches islamiques tardives : il n'y a aucune trace d'une présence hellénistique ou sassanide. Les couches datées au carbone 14 et les découvertes éparses, notamment les tessons à décor d'engobe, lustré ou de type *lajvardina*, fournissent pourtant les preuves matérielles d'une occupation des terres entre le ixe et le xive siècle. Enfin, la restauration de la porte timouride conduisant, depuis la citadelle, au Bagh-i Shahr, historiquement attesté, a redonné à la face nord de la citadelle son apparence originelle et clarifié le tracé de l'enceinte de la ville {ill. 179}.

Si ces projets ont alimenté en matière première l'histoire culturelle de la ville et de ses environs, les collections du musée d'Hérat permettent d'établir une synthèse plus ouverte, présentée dans de nouvelles salles d'exposition[9]. En complément des œuvres d'art (métallurgie et manuscrits en particulier) provenant de ou attribués aux célèbres ateliers de la cité, le musée possède des collections archéologiques issues de la zone urbaine des quartiers environnants et de la province voisine de Badghis. Des fouilles illégales en cours suggèrent que les artefacts de l'âge du bronze viendraient de la partie nord de la province, tandis que les céramiques moulées à décor d'engobe, d'une qualité comparable à celles de Nishapur et Afrasiab, proviendraient de Palgird, un grand site situé 80 kilomètres à l'ouest d'Hérat. Plus inhabituels pour le

---

7 Franke et Urban, à paraître.
8 Franke et Urban, 2017, et en particulier p. 93 et 319.
9 Largement publiée dans Franke et Müller-Wiener, 2016.

répertoire artistique du Xe-XIIIe siècle sont les ensembles de céramiques richement décorées et non émaillées trouvés au nord-est de la province d'Hérat {ill. 179}.

Bien que ces projets interconnectés aient donné lieu à des résultats prometteurs et à la production d'une importante quantité de données primaires et de documents de référence, seules des explorations interdisciplinaires des sites accessibles dans la zone urbaine, menées à grande échelle et sur le long terme, apporteront des informations plus complètes sur l'ancienne Hérat.

ill. 182
Mausolée de Gazurgah
Afghanistan, Hérat
Photographie mission Joseph Hackin, années 1930
Paris, MNAAG, archives photographiques, D-1541

ill. 183
Mausolée de Gawharshad
Afghanistan, Hérat
Photographie mission Joseph Hackin, années 1930
Paris, MNAAG, archives photographiques, D-1558

ill. 184
Décor peint et sculpté à l'intérieur du mausolée de Gawharshad
Afghanistan, Hérat
Photographie mission Joseph Hackin, années 1930
Paris, MNAAG, archives photographiques

Hérat, une capitale artistique (1405-1507)

Sophie Makariou

Durant un siècle, Hérat fut la capitale de la dynastie timouride, fondée par Timour le Boiteux (Tamerlan). Son histoire ne commence pourtant pas là. Située sur la rivière Hari, à l'intersection des routes reliant le Proche-Orient islamique à l'Inde et à la Chine, elle connaît une floraison artistique brillante dès le XIe siècle. Elle conserve de cette période, celle de la dynastie ghuride, qui partit à la conquête de l'Inde et construisit le minaret de Jam, quelques traces monumentales remarquables, comme la Grande Mosquée, datant du règne de Ghiyath al-Din (r. 1163-1203). Il faut le noter : la ville est déjà, alors, le point le plus occidental d'un ensemble historique et culturel qui incorpore le nord de l'Inde et l'actuel Afghanistan, ici le Khorassan, donc en fait une partie de l'Asie centrale islamique. L'avoir à l'esprit permet de mesurer que, lorsqu'on lève les yeux sur les splendides voûtes aux inextricables plissés du mausolée de Gawharshad (1417-1438), on a là le point de relais entre le complexe de Khoja Ahmad Yasawi à Turkestan (anciennement Yasi, au Kazakhstan), la tombe de Tamerlan à Samarkand et les tombeaux impériaux moghols, celui d'Humayun à Delhi ou celui de Jahangir à Lahore.

Ville deux fois mise à sac, Hérat est un foyer de cristallisation artistique bien particulier, capitale d'un éphémère projet d'empire qui englobait l'Iran, une partie de l'Asie centrale et l'Inde, où l'on parlait en persan ou turc tchaghataÿ. On ne comprend pas la trajectoire de l'histoire culturelle iranienne sans Hérat ; on ne comprend pas non plus sans elle la formation du colossal et puissant empire moghol.

Il revint à la génération qui succéda à Tamerlan (m. 1405) d'établir la capitale timouride à Hérat. Le successeur, Shah Rokh, en a d'abord été le gouverneur. Ayant accédé au sultanat, il promut un important programme de restaurations et de constructions dans sa capitale, dont le somptueux complexe, fondation proprement dynastique, construit autour du mausolée de son épouse Gawharshad. Au nord-est de la ville, dans le village de Gazurgah, le souverain pétrifia la mémoire du poète mystique Ansari (m. 1089) par l'édification, entre 1425 et 1429, d'un mausolée et d'une *khanqa*, lieu confrérique. Ces deux ensembles monumentaux de briques revêtues de fastueux carreaux de céramique, leurs volumes complexes, leur plan modulaire et leurs solutions de couvrement très sophistiquées, témoignent de la puissance de l'architecture timouride à son apogée[1].

À Hérat et dans ses alentours, il reste de la maîtrise de l'eau, fondamentale sur ces terres semi-arides, des traces matérielles et des indices, dans les textes, de la conception de nombreux jardins et l'aménagement du canal royal sous le règne d'Abu Sa'id (r. 1459-1469). Sous le règne de Sultan Husayn Bayqara (r. 1469-1506), dernier souverain timouride avant que les Ouzbeks shaybanides puis la dynastie shiite des Safavides ne s'emparent du pouvoir, une ultime floraison du mécénat timouride crée et rénove une soixantaine de bâtiments dont celui de Gazurgah en 1477. À l'instar de la nécropole de Shah-i Zindeh, à Samarkand, est créée une sorte d'avenue funéraire, le *khiyaban-i sultani*. Un tel effort s'explique aussi par le rôle déterminant d'intendant des travaux sultaniens tenu par le grand vizir Mir Ali Shir Navaï (1441-1501), ami d'enfance de Sultan Husayn. L'impressionnant héritage monumental d'Hérat souffrit terriblement des conflits : guerres anglo-afghanes du XIXe siècle, puis intervention soviétique en 1979.

ill. 185
Hanap
Afghanistan ou Iran (?), dernier quart du XVe siècle
Bronze, décor incrusté d'argent repoussé ; H. 13,5 ; D. 13 cm
Paris, musée du Louvre, département des Arts de l'Islam, achat (1889), AD 4964

---

1 Golombek et Wilber, 1988.

Accompagnant le développement monumental d'Hérat, les arts les plus précieux – métal incrusté et céramique à glaçure – brillèrent, tandis que sa culture lettrée s'exprimait dans des poésies et des manuscrits somptueusement enluminés et illustrés. On associe au terme disputé de « Renaissance timouride[2] » les noms de Shah Sultan Husayn Bayqara, du grand vizir et auteur de poèmes en turc tchaghataÿ Mir Ali Shir Navaï et de Kamal al-Din Behzad (vers 1450-1537), peintre et bibliothécaire. Autour de la figure de ce dernier se développe une véritable légende. Ses apports demeurent la diversification des postures et des attitudes, la dimension proprement picturale – plus que narrative – de son œuvre, un intérêt nouveau pour la traduction des sentiments. Dans le premier tiers du XVIe siècle, Zayn al-Din Vasafi a rédigé un ouvrage sur le raffinement artistique de la cour timouride, dont un passage met en scène la rencontre de deux figures proéminentes d'Hérat. Lors d'un *majlis* (assemblée de lettrés), est montré aux quatre participants un portrait, peint par Behzad, du poète-vizir Mir Ali Shir Navaï en son jardin[3]. Chacun le commente, soulignant la minutieuse réalité de l'image. Des peintures conservées dans l'album de Bahram Mirza[4] révèlent aussi la profonde connaissance qu'avait Behzad de la peinture chinoise.

C'est de cette riche fusion artistique que le souverain Babur, ayant perdu le Ferghana, garda la nostalgie, comme en témoignent ses *Mémoires*. Il gagna Kaboul, ultime réduit timouride, puis, l'ayant perdue, s'ouvrit un autre domaine dans l'Hindoustan par la victoire de Panipat (1526). Mais cela est une autre histoire : celle du puissant héritage timouride en Inde.

ill. 186
Anthologie poétique
Afghanistan, Hérat, vers 1480
Manuscrit ; H. 8,4 ; L. 24,3 cm
Paris, Bibliothèque nationale de France, supplément persan 1425, f. 20r

ill. 187
Recueil de calligraphies et peintures d'Ali Katib, calligraphié par lui-même
Afghanistan, Hérat, 1508-1528
Manuscrit ; H. 25 ; L. 16 cm
Paris, Bibliothèque nationale de France, supplément persan 129, f. 21r

ill. 188
Recueil de poésies de Sultan Husayn Bayqara, souverain timouride du Khorassan
Afghanistan, Hérat, 1485
Manuscrit ; H. 25 ; L. 16 cm
Paris, Bibliothèque nationale de France, supplément turc 993, f. 2v

---

2 L'expression est employée notamment par Jean-Paul Roux dans le chapitre II de son *Histoire des Grands Moghols, Babur* (Paris, Fayard, 1986), intitulé « La Renaissance timouride ». Elle est remise en cause notamment par Maria E. Subtelny en 1988.
3 Roxburgh, 2000.
4 Album de Bahram Mirza, musée du palais de Topkapı, Istanbul, inv. H. 2154.

NOUVELLES COOPÉRATIONS

Les enjeux de l'archéologie en Afghanistan, 1979-2021

Nicolas Engel

Durant la guerre civile opposant les diverses factions de moudjahidines, puis sous la coupe du régime taliban de 1996 à 2001, l'Afghanistan demeure fermé à toute recherche internationale sur le terrain. L'Institut national d'archéologie afghan (INA), sous la direction de Mir Ahmad Joyenda, mène toutefois des fouilles à Kaboul, à Tepe Marenjan de 1981 à 1987, renouvelant la compréhension de ce site.

Le renversement des talibans en novembre 2001 marque le retour des ambassades occidentales et la mise en place de nouvelles coopérations culturelles, en particulier des bourses d'étude et de formation proposées aux équipes du Musée national et de l'INA. L'Institut français d'Afghanistan, étroitement lié au lycée Istiqlal, rouvre également ses portes.

La Délégation archéologique française en Afghanistan, dirigée par Roland Besenval puis Philippe Marquis et Julio Bendezu-Sarmiento, est invitée à se ré-établir de façon permanente à Kaboul en 2003. Des chapiteaux hellénistiques ayant été découverts lors de fouilles clandestines à Balkh, des campagnes archéologiques pluriannuelles y sont menées de 2005 à 2008, mettant en évidence une séquence stratigraphique depuis l'âge du fer et les Achéménides. En parallèle est fouillé le site voisin de Cheshme Shafa, et sont prospectés le bassin de l'oasis de Balkh et la steppe s'étendant jusqu'à l'Amou-Daria. D'autres opérations sont menées sur les périodes islamiques de Bamiyan et d'Hérat par Thomas Lorain, archéologue adjoint de la DAFA de 2013 à 2016. La France apporte également son soutien à la mission archéologique de Zemaryalaï Tarzi à Bamiyan depuis 2002, travaillant à la découverte, au pied de la falaise aux bouddhas, de deux monastères bouddhiques, ainsi qu'aux fouilles indépendantes de Zafar Païman sur différents sites bouddhiques de Kaboul, Kundjukaï, Khwaja Safa, Tepe Narenj et Qol-e Tut.

Plusieurs missions étrangères, en premier lieu italienne à Ghazni et allemande à Hérat, reprennent également leurs travaux de terrain, en coopération étroite avec les archéologues de l'INA et son directeur, Nader Rassuli. Dès 2002, la mission archéologique italienne, sous la direction de Giovanni Verardi, revient sur le site de Tepe Sardar pour estimer les dégâts subis durant les conflits, documenter les phases d'occupation les plus anciennes et reprendre son étude et son relevé topographique. Elle mène aussi de nouvelles réflexions sur le musée d'art préislamique dans le cadre du Ghazni Museum Project financé par l'Unesco et le ministère italien des Affaires étrangères, musée rénové puis, face à la dégradation des conditions de sécurité à partir de 2013, de nouveau fermé. Le Deustches archäologisches Institut (DAI), avec l'équipe menée par Ute Franke, reprend de son côté ses travaux sur Hérat, travaillant notamment à l'ouverture d'un musée au sein de la citadelle Ikhtyaruddin restaurée en 2011. La présence de troupes militaires dans le cadre de l'OTAN incite aussi d'autres pays à soutenir des actions patrimoniales : la République tchèque, en faveur de l'Institut afghan d'archéologie ; la Lituanie, avec une mission d'inventaire du patrimoine dans la province du Ghor.

Car si la question de la reconstruction des bouddhas de Bamiyan, régulièrement posée par l'Afghanistan à l'Unesco, reste débattue,

PAGE PRÉCÉDENTE
Restauration des stucs de la mosquée Noh Gonbad
(détail de l'ill. 206)

ill. 189
Stupa de Shewaki en cours de restauration,
Photographie ACHCO, juin 2022

les années 2003-2021 voient se multiplier les restaurations de monuments, dans la lignée des travaux entrepris dans les années 1960 et 1970 sous l'impulsion des autorités afghanes. L'Aga Khan Trust for Culture (AKTC) en est l'acteur principal, en coopération avec les services patrimoniaux afghans et diverses missions archéologiques lorsque des fouilles sont nécessaires : à Kaboul avec le jardin de Babur, le mausolée de Timour Shah et certaines maisons de la ville ancienne ; à Hérat avec Gazurgah et la ville ancienne ceinte de remparts ; à Balkh avec le mausolée de Khwaja Parsa, la mosquée Noh Gonbad… Cette politique en faveur du patrimoine bâti s'est élargie depuis 2017 grâce au soutien financier de la fondation ALIPH. Certains monuments bouddhiques de la région de Kaboul, les stupas de Top Dara et de Shewaki en particulier, ont ainsi pu être restaurés récemment. La prise de pouvoir des talibans sur l'ensemble de l'Afghanistan le 15 août 2021 a toutefois marqué l'arrêt de plusieurs projets lancés par ALIPH, tels que la restauration de la forteresse du Bala Hissar à Kaboul, à laquelle participaient l'INA, la DAFA et l'AKTC, ou la dépose et le transfert vers le Musée national des sculptures monumentales de terre crue polychrome du site bouddhique de Mes Aynak, dont la DAFA, de nouveau dirigée par Philippe Marquis, était l'opérateur.

Ces fouilles de Mes Aynak, placées sous la direction de l'INA, focalisent l'attention de la communauté archéologique depuis 2009. Opération de sauvetage, elles illustrent les enjeux nouveaux auxquels, ces vingt dernières années, l'archéologie en Afghanistan doit faire face tant bien que mal, entre préservation du patrimoine et recherche de sources de financement internes – ici par l'exploitation concédée du minerai de cuivre présent sous le site.

La carte archéologique de l'Afghanistan

Julio Bendezu-Sarmiento

La carte archéologique est un vieux projet dont l'histoire commence avec la création de la Délégation archéologique française en Afghanistan. Dès 1922, son premier directeur, Alfred Foucher, tente de mettre en place un système de fiches de renseignements par district, sur le modèle britannique de l'Archaeological Survey of India. Les antiquités découvertes sont si nombreuses et inédites que le travail dépasse rapidement les autorités afghanes et la petite équipe non permanente de la délégation sur place. Durant les années 1930, bien que sans assise cartographique, le travail sur le terrain va permettre de rassembler des renseignements sur les sites découverts et fouillés et de publier les premiers ouvrages sur le passé afghan.

Après la Seconde Guerre mondiale, l'équipe de Daniel Schlumberger, qui fouille et prospecte autour de Bactres (1947-1949), conclut à l'impossibilité de réaliser une carte archéologique à cause du manque d'études de reliefs dans le pays, patent jusqu'aux années 1960 et au début des travaux de la société américaine Fairchild Aerial Surveys Inc. À cela s'ajoute l'absence d'infrastructures aériennes, de routes, de points de relais ou tout simplement de moyens technologiques. Après 1960 des relevés photographiques aériens de l'ensemble du territoire afghan sont effectués, transformant complètement les conditions de la recherche géomatique. Ainsi, Schlumberger déclare au colloque Singer-Polignac de 1959 : « L'examen auquel nous avons pu procéder récemment, grâce au libéralisme du gouvernement afghan, d'une partie de la carte aérienne de la vallée inférieure de l'Helmand nous a montré comment on peut découvrir en quelques heures, sans quitter son bureau, dans une région entièrement inconnue, de grandes ruines dont il suffira d'aller ensuite sur place vérifier la nature[1]. » Malheureusement, il quitte peu de temps après la direction de la DAFA, et les travaux de celle-ci, avec Paul Bernard, se concentrent sur les fouilles, notamment sur le site d'Aï Khanoum. Il faut attendre les travaux de la mission soviéto-afghane en Bactriane méridionale (1969-1979) pour voir la publication de cartes archéologiques, certes succinctes et régionales, mais qui ont le mérite d'exister. Ces premières données ont été complétées et publiées par nos collègues russes ces dix dernières années.

Vers le milieu des années 1970, la question de la carte archéologique est de nouveau abordée, notamment par Jean-Claude Gardin qui, en association avec Warwick Ball, publiera en 1982 l'*Archaeological Gazetteer of Afghanistan*

1 Schlumberger, 1960b.

(récemment complété et réédité[2]). Ball avait déjà rassemblé bon nombre de données historiographiques issues de multiples recherches étrangères, particulièrement celles des Anglais et des Allemands. Jean-Claude Gardin rappelle dans la préface de 1982 qu'il s'agit surtout de trente ans de prospections et de données empiriques, liées aux travaux menés sur le terrain par la DAFA. Toujours sous sa direction, cette première publication sera suivie entre 1989 et 1998 par trois volumes des *Prospections archéologiques en Bactriane orientale (1974-1978)*.

Avec la fermeture de la DAFA en 1982, la résistance à l'invasion soviétique, la guerre civile et fratricide entre factions moudjahidines (1992) puis la prise de pouvoir des talibans (1996), les vols, les pillages et la destruction du patrimoine afghan atteignent un niveau sans précédent, jusqu'à l'anéantissement des bouddhas de Bamiyan (2001). Ce chaos a mis en lumière de nombreux sites archéologiques jusqu'alors inconnus.

Dès la réouverture de la DAFA en 2003, sous la direction de Roland Besenval, des prospections systématiques sont entreprises, toujours avec l'aide de la direction de l'Institut d'archéologie afghan, dans les oasis irriguées par le réseau hydrographique au nord de l'Afghanistan. Ces prospections vont se poursuivre jusqu'à la fermeture des bureaux de la DAFA et le retour des talibans. D'autres travaux de prospection se mettront en place : dans la région du Ghor, entre 2007 et 2008, par des chercheurs lituaniens ; sur les monuments islamiques du pays, en 2005, par des archéologues australiens ; dans la région d'Hérat, entre 2008 et 2012, par une équipe allemande, avec la participation de la DAFA.

À partir de 2013, en raison de problèmes liés à la mauvaise gestion patrimoniale de l'exploitation du site de Mes Aynak et de son potentiel archéologique, le ministère des Mines et du Pétrole demande l'évaluation archéologique satellitaire – puisqu'il est impossible de se rendre sur place – d'importantes zones de concession minière. Jusque-là, la difficulté majeure dans la recherche de nouveaux sites archéologiques résidait dans l'accès à une bonne couverture en images satellitaires en haute résolution de l'Afghanistan, intégrant si possible le géoréférencement et comportant des informations d'élévation. C'est dans ce cadre que le service de coopération militaire de l'ambassade de France en Afghanistan, à la demande de la DAFA et avec l'autorisation des autorités afghanes, a sollicité et obtenu des responsables de l'OTAN, grâce au soutien direct du président Ashraf Ghani, que la délégation puisse avoir accès à tout type de données géographiques et satellitaires déclassifiées pour l'ensemble du territoire afghan.

Cette nouvelle et dernière étape dans la constitution de la carte archéologique de l'Afghanistan a donc été impulsée par la DAFA avec le soutien du ministère afghan de la Culture et l'implication directe de nombreux partenaires internationaux tels que l'Unesco, l'Aga Khan Trust for Culture et l'Afghanistan Center at Kabul University. Plusieurs milliers de nouveaux sites datant de la préhistoire aux périodes historiques ont été découverts ; certains d'entre eux ont pu être visités par la DAFA jusqu'en 2018. Cette carte archéologique devait participer au développement culturel, économique et social du pays, mais cela reste aujourd'hui plus qu'incertain.

---

2 Ball, 2019a.

- Sites référencés jusqu'en 1982 (Ball et Gardin)
- Sites identifiés par la DAFA entre 2003 et 2008
- Sites identifiés par la DAFA grâce à la National Geospatial-Intelligence Agency entre 2015 et 2018
- Sites identifiés par la DAFA entre 2015 et 2018

0

ill. 190
Carte archéologique de l'Afghanistan présentée au président Ashraf Ghani, printemps 2021

UZBEKISTAN
TAJIKISTAN
CHINA
PAKISTAN
INDIA
PAKISTAN
INDIA
Samangan
Ghazni
Paktika
Kunar
Wardak
Logar
200
300
400
500
600
700
800
900
1000
Kilometers

Le relief sassanide de Rag-i Bibi

Frantz Grenet

Le relief rupestre de Rag-i Bibi, découvert en 2003 et étudié par une mission du CNRS[1] sous l'égide de la DAFA[2], est le seul relief royal sassanide connu à l'est du Fars et de Ray, régions centrales de l'empire[3] ; il en est distant de 1 600 kilomètres. Sculpté dans une falaise au sud de la ville de Pol-i Khomri, il domine la vallée de la Kunduz. Large de 6,50 mètres et haut de 4,90 mètres, ce haut-relief est travaillé en plans successifs dont la saillie maximale est de 2,50 mètres, avec une composition tournante d'une grande maîtrise technique et peut-être inspirée de celles des sculpteurs locaux de stupas bouddhiques. La mauvaise qualité du grès a obligé à recourir pour certaines parties à des « prothèses » chevillées qui n'ont pas été conservées, pas plus que le plâtre et la peinture qui devaient compléter l'ensemble.

Un cavalier manifestement royal, un peu plus grand que les autres personnages, tire à l'arc sur un rhinocéros figuré deux fois, en fuite et agonisant langue pendante. Il porte des pantalons plissés de type sassanide. Tête et couronne ont disparu[4]. Le cheval pose un pied sur la patte arrière de l'animal en fuite et l'autre, cassé, sur un symbole de montagne. La scène se déroule sous un manguier. Un personnage en costume kouchan à plis lourds se tient debout ; ses bras sont manquants. Le chasseur royal est suivi de deux autres, en costume kouchan pour l'un, apparemment sassanide pour l'autre. Au-dessus figure une balustrade d'un type attesté sur les reliefs bouddhiques ; un ruban flottant pourrait appartenir à une couronne de victoire apportée au roi par un *putto* volant non conservé.

L'attribution proposée à Shapur Ier (240-272) repose sur la composition générale, typique des reliefs de victoire de ce roi – le Kouchan soumis occupant la place ailleurs dévolue à l'empereur Valérien –, ainsi que sur le nombre et le type des phalères du harnachement. Pourquoi avoir figuré un rhinocéros et un manguier si loin au nord de leurs aires de distribution ? Sans doute afin de proclamer que la conquête sassanide des territoires kouchans a désormais débordé sur le versant indien, « jusqu'en avant de Peshawar » comme Shapur le proclame vers 260 dans son inscription de la « Ka'ba de Zoroastre » à Naqsh-e Rostam, limite marquée par la passe du Khyber qui serait la montagne évoquée sous le cheval du roi.

ill. 191
Relief rupestre : le souverain sassanide Shapur III (240-272) chassant le rhinocéros
Afghanistan, Rag-i Bibi
Photographie François Ory, 2003

1 UMR 8546, « Archéologie et philologie d'Orient et d'Occident ».
2 Grenet, 2005.
3 Le caractère sassanide a été récemment remis en cause (voir Maksymiuk, Kubik et Skrupniewicz, 2020, p. 239-249). Même en tenant compte de l'évidente intervention de sculpteurs locaux et de l'adoption de pièces d'armement centrasiatiques, la datation kouchane proposée paraît difficilement soutenable étant données les analogies de composition avec les reliefs de victoire de Shapur Ier et les conventions typiquement sassanides, telles la duplication de l'animal chassé, vivant et mort.
4 La masse arrondie visible derrière la tête doit représenter le coude droit plié, levé haut pour tirer à l'arc, plutôt que la chevelure, comme on l'avait d'abord supposé.

Monuments islamiques des vallées de Bamiyan

Thomas Lorain et Sandra Aube

Entourée des majestueuses montagnes de l'Hindou Kouch culminant à plus de 4000 mètres, Bamiyan doit son développement et sa richesse à sa position stratégique sur l'une des voies de communication les plus importantes de l'Afghanistan[1]. Tristement célèbre pour ses bouddhas géants, qui ont focalisé l'attention des médias par leur destruction en 2001, la cité n'en demeure pas moins un site particulièrement intéressant pour les monuments islamiques largement méconnus qui y sont conservés. Entre 2014 et 2017, la mission archéologique franco-afghane à Bamiyan (MAFAB, avec le soutien de la DAFA, du ministère de l'Europe et des Affaires étrangères et de la Fondation Max Van Berchem) a procédé au relevé et à l'étude de cette occupation islamique des vallées de Bamiyan.

Dans le cadre d'un partenariat entre la DAFA et l'Unesco, des fouilles archéologiques ont été conduites sur le promontoire de Shahr-e Gholghola {ill. 192}. L'organisation spatiale et la durée d'occupation de ce site défensif, jusqu'alors réputé détruit par les invasions mongoles des années 1220-1221, ont ainsi pu être précisées. Les activités de la MAFAB ont par ailleurs permis de relever de nombreux mausolées médiévaux et modernes, et de découvrir la mosquée Ja'far Sadeq, qui reprend toutes les caractéristiques de l'architecture locale médiévale. Des sondages, des fouilles et des relevés ont enfin pu être entrepris sur deux sites remarquables de Bamiyan : le palais de Chehel Dokhtaran[2] d'une part, dont les lignes architecturales rappellent celles du palais voisin de Shahr-e Gholghola, ainsi que les palais de Lashkari Bazar[3] ; le complexe funéraire de Khwaje Sabz Push d'autre part, où ont également été découverts des stucs sculptés et des peintures murales, attestant que des travaux ont été entrepris entre le XIe et le XIVe siècle, ainsi que de nombreux fragments de manuscrits. Sur l'ensemble des sites étudiés, des milliers de tessons de céramique ont été mis au jour, ainsi que des rebuts de cuisson et de nombreuses barres de four attestant une importante production locale. Cette céramique, dont l'étude est encore en cours, engage d'ores et déjà à renouveler notre perception de la céramique dite « de Bamiyan »[4].

ill. 192
Vue générale de la citadelle de Shahr-e Gholghola
Afghanistan, Bamiyan
Photographie Josephine Powell, 1959-1961
Harvard Fine Art Library

1 Foucher, 1942-1947, p. 24-27.
2 Aujourd'hui inclus dans le village de Said Abad, à 300 mètres de Shahr-e Gholghola. Le palais a été mentionné pour la première fois dans Foucher, 1923.
3 Sur Lashkari Bazar, voir Schlumberger, 1978.
4 Notons qu'à ce jour très peu de céramiques à pâte siliceuse et décor incisé sous glaçure turquoise ont été retrouvées au cours des fouilles conduites par la MAFAB dans les vallées de Bamiyan. Ce type de production est longtemps passé pour être l'une des caractéristiques de Bamiyan, depuis l'article de Jean-Claude Gardin (Gardin, 1957b).

ill. 193
Bol
Afghanistan, Bamiyan, XIIIe siècle
Céramique ; H. 6,2 ; D. 9,8 cm
Paris, musée du Louvre, département des Arts de l'Islam, mission Joseph Hackin (1937), AA 209

Les céramiques de Bamiyan

« C'est dans les décombres de cette citadelle, dite "Shahr-e Gholghola", qu'ont été recueillies depuis une vingtaine d'années, au hasard de recherches commerciales ou de simples visites touristiques, les poteries présentées ici. [...] Par ailleurs, ratés de cuisson et pernettes ne manquent pas sur le site, de sorte que le lieu de fabrication des poteries dites de Shahr-e Gholghola n'est pas douteux : ce ne sont pas des importations, mais bien le fruit de l'artisanat indigène à Bamiyan », écrit Jean-Claude Gardin dans un article de 1957, qui demeure une référence sur le matériel céramique provenant du site (Gardin, 1957b, p. 227-228). Depuis cette publication fondatrice, de très nombreuses céramiques dites de Bamiyan ont rejoint des collections publiques comme privées. Nombre d'objets apparentés, dont l'historique n'est pas documenté, continuent d'être proposés en ventes publiques.

Les céramiques illustrées et décrites par Gardin appartiennent à deux catégories principales, qui dans une large mesure résument les productions largement diffusées dans le monde iranien oriental lors de la période prémongole (avant 1220) : des céramiques argileuses glaçurées sur engobe (une couche d'argile diluée) ; des céramiques siliceuses (une pâte ne contenant que très peu d'argile et faite de quartz et de silice) peintes sous glaçure et à glaçure monochrome. Celles-ci, qui se distinguent des pâtes iraniennes plus dures et plus blanches, sont les seules qui soient bien documentées comme ayant été produites en dehors de l'Iran. Un bol conservé depuis 1934 au musée du Louvre, provenant des recherches de Joseph Hackin à Shahr-e Gholghola {ill. 194}, s'apparente à l'un des types de céramiques engobées, à décor gravé et de coulures de glaçure publiés par Gardin. Certains des objets regroupés dans son article de 1957 sont par ailleurs conservés au Louvre : il en est ainsi d'un bol à pâte siliceuse et glaçure turquoise {ill. 195} qui appartenait à Marc Le Berre (1904-1977), architecte de la DAFA entre 1946 et 1969, et qui fut acquis en 1984 auprès de la galerie Soustiel à Paris.

Les céramiques associées à ce qu'il faut davantage considérer comme une appellation « de Bamiyan », en l'absence de provenance avérée, ont connu une diffusion importante dans l'actuel Afghanistan au XIIe siècle et au début du XIIIe siècle. Les mêmes types ont ainsi été collectés en surface à Jam/Firozkoh (Gascoigne, 2010), ancienne capitale ghuride où se trouve le célèbre minaret. D'autres céramiques de la période islamique, issues des travaux de la DAFA, sont parvenues au musée du Louvre dès les années 1930. Un petit bol à décor gravé et glaçuré {ill. 193} a été donné par Hackin en 1937 ; sans provenance archéologique précise, il s'apparente aux céramiques engobées et gravées sous glaçure alors produites à Bamiyan et dans d'autres centres d'Afghanistan. **Annabelle Collinet**

ill. 194
Bol
Afghanistan, Bamiyan, Shahr-e Gholghola, XIe-XIIe siècle
Céramique, décor gravé et jaspé sur engobe et sous glaçure ; H. 8,3 ; D. 16,3 cm
Paris, musée du Louvre, département des Arts de l'Islam, mission Joseph Hackin (1937), AA 66

ill. 195
Coupe
Afghanistan, Bamiyan, Shahr-e Gholghola, XIIe-XIIIe siècle
Céramique à décor gravé sous glaçure transparente colorée ; H. 8,3 ; D. 16,5 cm
Paris, musée du Louvre, département des Arts de l'Islam, achat (1984), MAO 703

Deux complexes funéraires dynastiques des Timourides à Hérat

Sandra Aube et Thomas Lorain

Érigée en 1405 au rang de seconde capitale de l'empire timouride (r. 1370-1506), Hérat connaît un développement culturel particulièrement florissant au cours des règnes de Shah Rokh (r. 1405-1447) puis de Sultan Husayn Bayqara (r. 1470-1506). La ville est un centre artistique renommé, notamment pour les arts du livre[1]. De très nombreux édifices y sont élevés au cours de cette brillante période[2], parmi lesquels deux ensembles architecturaux de premier plan {ill. 198} : les complexes funéraires dynastiques de Gawharshad (vers 820-841/1417-1438) puis de Sultan Husayn Bayqara (vers 1490-1506, ill. 196). Le premier rassemblait une Grande Mosquée et une madrasa associée à un mausolée dynastique, qui furent commandités par Gawharshad, épouse de Shah Rokh[3]. L'organisation architecturale et décorative fut confiée au célèbre Qavam al-Din ibn Zayn al-Din Shirazi (m. 1439), connu pour avoir supervisé la réalisation de plusieurs ensembles architecturaux dans le Khorassan au cours des années 1410-1440. C'est immédiatement au nord-est de ce premier ensemble que fut érigé plus de cinquante ans plus tard le complexe de Sultan Husayn Bayqara[4] : une madrasa associée à un nouveau mausolée dynastique, visant à mettre en avant une autre lignée de la famille timouride. Le complexe, autrefois associé à un *khânqâh* (aujourd'hui disparu), reprend les lignes architecturales du complexe de Gawharshad, en bien plus imposant. Mais les ravages du temps, les tremblements de terre et les guerres n'ont cessé de mettre à mal la sauvegarde de ces deux fondations et, dès les années 1830, les récits européens restituent un site déjà fort endommagé[5]. À la fin du XIXe siècle, la mosquée de Gawharshad était brièvement utilisée comme « *mosalla* » (terme d'origine arabe désignant un vaste espace ouvert destiné aux prières collectives) ; bien qu'abusive, l'appellation est localement restée depuis lors pour désigner tout ou partie de ces deux ensembles timourides. De nos jours, seuls cinq hauts minarets, ainsi

ill. 196
Détail du décor d'un des minarets du complexe funéraire de Sultan Husayn Bayqara
Afghanistan, Hérat
Photographie mission Joseph Hackin, années 1930
Paris, MNAAG, archives photographiques, 85212-6

1 Voir notamment Brend, 2003 et 2022 ; Lentz et Lowry, 1989, chapitre II.

2 Plus de soixante monuments sont érigés à Hérat au cours de cette période, parmi lesquels d'importants complexes religieux. Sur l'émergence d'Hérat à cette période, voir Allen, 1981 ; Szuppe, 2003.

3 Allen, 1981, p. 92-93, 113-115 et 122-129 ; O'Kane, 1987, p. 167-177 ; Golombek et Wilber, 1988, p. 302-307.

4 Allen, 1981, p. 143-146 ; O'Kane, 1987, p. 339-343 ; Golombek et Wilber, 1988, p. 314-315 ; Subtelny, 2007, voir en particulier l'édition du *waqfiyye* réalisé en 1506 par Afaq Begom, épouse de Sultan Husayn Bayqara, pour son propre mausolée au sein du complexe (appendice 2).

5 Pour les premières descriptions européennes des complexes, voir Conolly, 1834, p. 20 ; Lal, 1846, p. 256-257. Les structures étaient cependant mieux préservées à cette époque qu'aujourd'hui.

que le mausolée de Gawharshad, marquent les vestiges les plus immédiatement visibles de ces deux complexes funéraires.

Depuis le début des années 1980, le site n'avait pu faire l'objet de véritables investigations de terrain et, durant la guerre civile, le complexe de Sultan Husayn Bayqara marquait même la limite entre les deux camps ; le complexe fut miné. Ce n'est qu'à partir de 2015 que, à la demande de l'Unesco, la DAFA a pu entreprendre de nouveaux travaux sur le site. Une douzaine de milliers de fragments de revêtements, tombés des monuments au cours des dernières décennies, avaient été collectés et entreposés à l'intérieur du mausolée de Gawharshad. En 2015, ils ont été transférés au Musée national d'Hérat – citadelle Ikhtyaruddin, où ils ont pu être étudiés ; le caractère original du décor architectural du complexe de Gawharshad, créé à l'initiative de Qavam al-Din ibn Zayn al-Din Shirazi, a été mis en avant[6]. Parallèlement, des sondages archéologiques ont été entrepris autour du complexe de Sultan Husayn Bayqara avant la reconstruction d'un mur d'enceinte pour protéger l'accès au site. Ces sondages et les différents relevés alors réalisés permirent de préciser les contours architecturaux et l'organisation interne de la madrasa funéraire. Fin 2016 a commencé une vaste entreprise de déminage du site, tout en préservant les vestiges grâce à l'intervention des archéologues de la DAFA et de l'Institut national d'archéologie afghan {ill. 197}. L'organisation interne du monument s'est encore précisée, des milliers de nouveaux fragments de céramique ont été collectés. L'actualité ne nous a pas permis de retourner sur le site pour compléter l'étude en cours des céramiques architecturales révélées au cours de ces travaux.

---

6 Aube, Lorain et Bendezu-Sarmiento, 2020.

ill. 197
Opération de déminage sur le site de la madrasa de Sultan Husayn Bayqara,
par l'organisation Halo Trust, sous la supervision de l'Institut national afghan du patrimoine
Afghanistan, Hérat
Photographie Sandra Aube et Thomas Lorrain, mission DAFA, janvier 2017

ill. 198
Vue générale du complexe funéraire de Gawharshad
Afghanistan, Hérat
Photographie mission Joseph Hackin, années 1930
Paris, MNAAG, archives photographiques, D-1554

Documenter, de l'aquarelle au drone

Yves Ubelmann

Au fil des fouilles archéologiques, coupes et relevés sont effectués pour constituer la mémoire du site. Dès la création de la DAFA, Alfred Foucher souhaite s'adjoindre un architecte, reproduisant là une pratique des missions archéologiques allemandes. Maintenu presque sans interruption jusqu'en 1969 – un second architecte est même recruté en 1936 –, ce poste est décrété obligatoire par la Commission des fouilles en 1945, de même que ceux de photographe et de dessinateur. Après 1969, des architectes topographes et dessinateurs seront appelés ponctuellement au fil des missions.

André Godard réalise ainsi en juillet 1923 le relevé des ruines du palais de Mahmoud de Ghazni avant d'aller à Bamiyan. Sa femme Yedda, présentée comme artiste peintre, travaille à ses côtés aux copies des peintures murales. Après eux viendra Jean Carl, architecte inséparable de Joseph et Ria Hackin. Ses gouaches reproduisent fidèlement les dégradations observées, lacunes, soulèvements et fissures des diverses peintures de Bamiyan. Dans le tome VII des *Mémoires de la DAFA*, consacré aux fouilles de Khair Khane en 1934, dépassant le seul compte rendu, il introduit une proposition de restitution de l'architecture sous forme de maquette. Quant à Marc Le Berre, architecte de la DAFA de 1946 à 1969, il tente de mettre en place une méthode de documentation systématique : « Mon intention est d'établir, pour chaque site, une fiche donnant : la situation géographique précise, les mesures générales, un nivellement sommaire et une description aussi complète que possible. Une deuxième fiche donnera : un plan-croquis coté, l'orientation et, si nécessaire, une élévation profil », écrit-il en 1948. Il applique ces principes dans la région de Balkh sur cinquante-six tepes, champs de ruines ou monuments, mais la tâche est immense. Ses travaux ultérieurs, comme la prospection faite à travers l'Hindou Kouch central dans les années 1960 et 1970, font une part plus grande à la photographie qu'au dessin.

Car la photographie est le principal outil d'enregistrement des vestiges et objets mis au jour lors des fouilles, ou des ruines vues lors des prospections. Elle permet également de témoigner, à Paris, des découvertes progressives. Les « paysages archéologiques » du Séistan prospectés entre 1934 et 1936 avec Jean Carl et Jacques Meunié donnent ainsi lieu à une

ill. 199
Le minaret de Jam, photographié à l'aide d'un drone
Photographie Iconem, 2017

ill. 200
Modèle 3D de la falaise des bouddhas de Bamiyan
Image Iconem/Pascal Convert, 2016

ill. 201
Photogramme et cartographie des courbes de niveaux des zones 032 et 043 du site de Mes Aynak
Images Iconem/DAFA, 2012

exposition photographique au musée Guimet en 1938. Les fonds photographiques liés aux fouilles sont donc en perpétuelle augmentation. Le musée national des arts asiatiques – Guimet conserve ceux de la DAFA, versés de 1922 à 1982 : plaques de verre, négatifs, tirages montés en albums ou sur planches légendées.

C'est dans ce même esprit de documenter et de donner à voir que s'inscrivent les travaux de la société Iconem, menés depuis 2010 en Afghanistan, à Balkh, Mes Aynak, Hérat, Bamiyan, Kaboul ou Jam, en partenariat avec la DAFA et l'Unesco. Ils marient deux technologies, la photographie par drone et la photogrammétrie, et permettent d'obtenir en quelques minutes la couverture photographique d'un site entier. Parallèlement, la vision artificielle progresse, aboutissant aujourd'hui à la réalisation, à partir de prises de vues par drone, de modèles 3D auxquels des images d'archives peuvent désormais être intégrées.

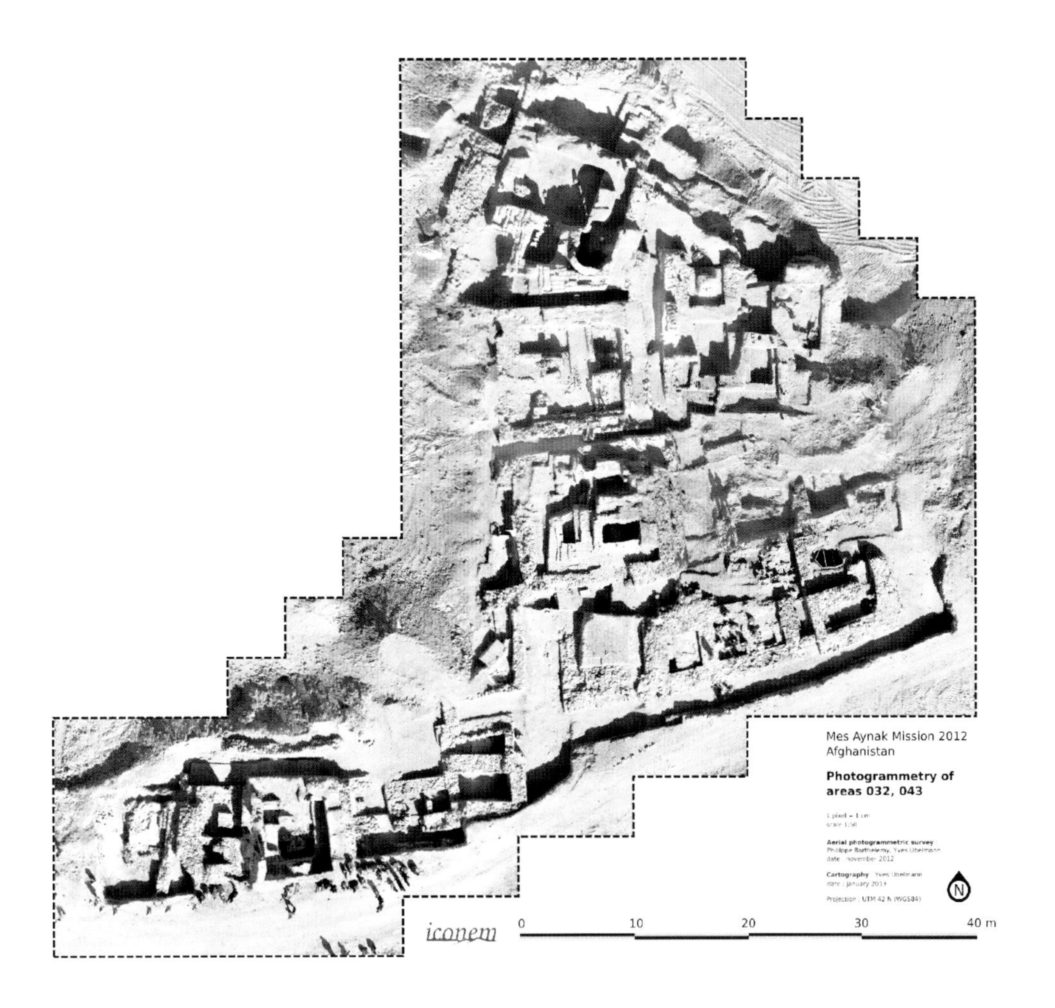

Mes Aynak Mission 2012
Afghanistan
Photogrammetry of
areas 032, 043
1 pixel = 1 cm
scale 1:50
Aerial photogrammetric survey :
Philippe Barthelemy, Yves Ubelmann
date : november 2012
Cartography : Yves Ubelmann
date : january 2013
Projection : UTM 42 N (WGS84)
N
iconem
0
10
20
30
40 m

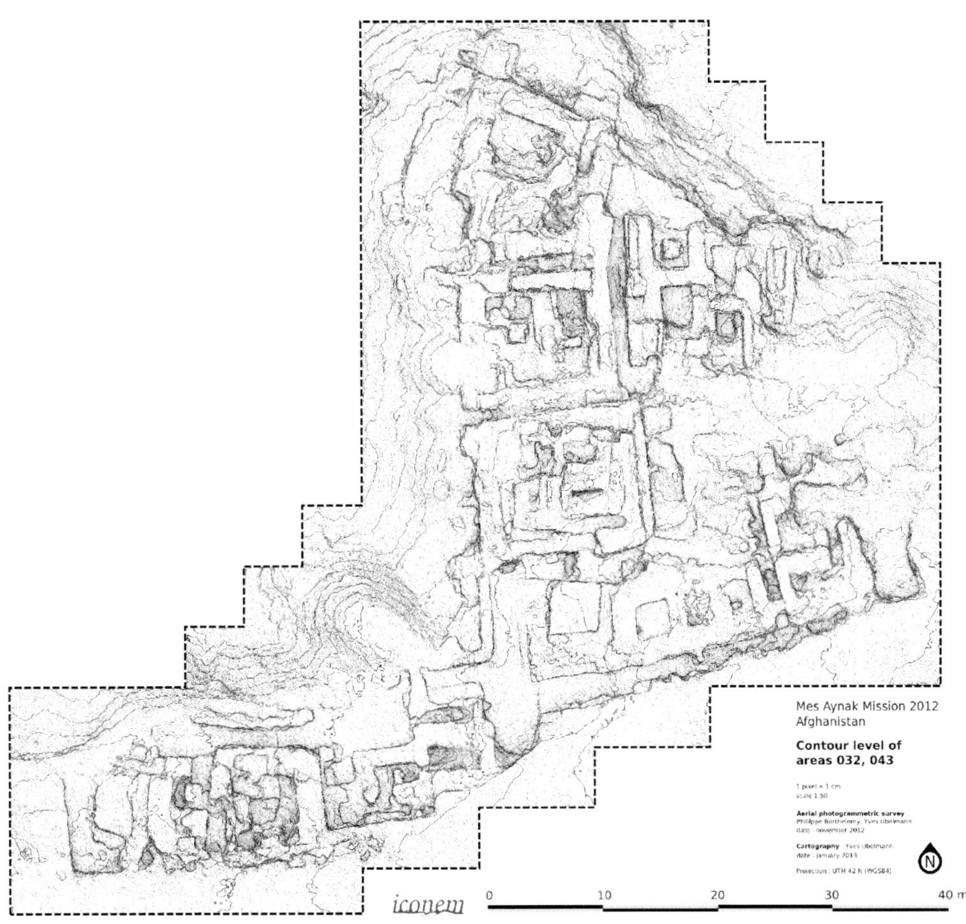

Mes Aynak Mission 2012
Afghanistan
Contour level of
areas 032, 043
1 pixel = 1 cm
scale 1:50
Aerial photogrammetric survey :
Philippe Barthelemy, Yves Ubelmann
date : november 2012
Cartography : Yves Ubelmann
date : january 2013
Projection : UTM 42 N (WGS84)
N
iconem
0
10
20
30
40 m

Mes Aynak

Nicolas Engel

Le site de Mes Aynak s'étend à quelque 35 kilomètres au sud de Kaboul, dans la province du Logar. La présence de vestiges archéologiques y est mentionnée pour la première fois en 1963 par le géologue français Albert de Lapparent, intéressé par le minerai de cuivre que recèle la montagne d'Aynak. Diverses visites s'ensuivent dans les années 1970, confirmant tant le potentiel archéologique du site que l'importance du gisement de cuivre[1]. En 2004, averti de pillages en cours, Nader Rassuli, directeur de l'Institut national d'archéologie (INA), se rend à Mes Aynak ; si l'insécurité l'empêche d'y mener une fouille, il rapporte à Kaboul trois sculptures de terre crue fragmentaires épargnées par les pilleurs, dont une tête de Bouddha. La cession, en juin 2008, de la concession minière de Mes Aynak à la Metallurgical Corporation of China entraîne le lancement de vastes fouilles de sauvetage à l'été 2009, placées sous la direction de l'INA. Le financement est assuré par la Banque mondiale par l'intermédiaire du ministère afghan des Mines et du Pétrole, et à partir de 2017 du ministère afghan de l'Information et de la Culture.

Dès le début des opérations de terrain, la DAFA apporte son expertise aux deux ministères, rédigeant *working plans*, budgets et calendriers et coordonnant les aides complémentaires que l'enjeu de ces fouilles motive (en particulier celles des ambassades des États-Unis et de la République tchèque en Afghanistan, de l'Unesco et, plus récemment, de la fondation ALIPH). Une exposition des premières œuvres découvertes est organisée en 2011 au Musée national d'Afghanistan[2].

La montagne d'Aynak, en forme de croissant culminant à 2 760 mètres d'altitude, constitue le centre névralgique du site archéologique, qui se déploie sur sa pente orientale et le relief de collines lui faisant face à l'est. Le minerai de cuivre était extrait à l'aide de tunnels suivant les différents filons, et fondu sur place[3]. D'énormes dépôts de scories, atteignant jusqu'à 15 mètres d'épaisseur, attestent l'intensité de l'exploitation qui a duré, pour autant que l'on puisse en juger aujourd'hui, des premiers siècles de notre ère à la fin du VIIe ou au début du VIIIe siècle[4]. Une muraille court le long de

1 Gérard Fussman et Marc Le Berre en 1976 ; Fabien Cesbron en 1977 ; Jean-Claude Gardin et Bertille Lyonnet en 1980. Une équipe de géologues soviétiques creuse dans les années 1970 plusieurs tranchées et galeries, dans l'hypothèse d'une exploitation du minerai par l'URSS.

2 « New excavations in Afghanistan – Mes Aynak », 2011. L'exposition est reprise et développée au Musée national de Prague en 2016, et des analyses en laboratoire effectuées sur divers objets.

3 Eley, Marquis et Noori, 2019.

4 Une éventuelle occupation du site dès l'âge du bronze serait cependant possible, mais elle n'est attestée que par quelques tessons de céramique.

ill. 202
Peinture murale représentant le Bouddha, un couple de donateurs et un enfant
Afghanistan, Mes Aynak, monastère de Kafiriat Tepe
Photographie Jaroslav Poncar, 2010

ill. 203
Vue générale du site de Mes Aynak
Photographie mission DAFA, 2015

la crête. Y sont adossés des ateliers de fonte ainsi que des bâtiments ayant dû servir au contrôle de la mine, d'où proviennent six plats d'argent à l'iconographie sassanide, dont une scène de chasse royale à l'effigie du souverain Shapur II (309-379).

En contrebas se développait la « ville basse », zone largement dédiée à l'habitation, fermée par un rempart côté sud, où quelques édifices particuliers se distinguent par leur plan ou les œuvres qui y ont été mises au jour : fragments de manuscrits en écriture indienne (brahmi) des IVe-VIe siècles de notre ère, sculptures bouddhiques de schiste, trésor de joaillier[5], tessons de *Bajaur ware*[6] et tessons estampés[7] ou encore, dans le cas de chapelles bouddhiques intercalées dans le tissu urbain, sculptures de terre crue polychromes représentant bouddhas, bodhisattvas et donateurs autour d'un stupa central.

Ces chapelles bouddhiques, de même que les monastères ou lieux de culte construits au sommet de collines tout autour de la ville, sont aujourd'hui mieux connus que les édifices laïques : leur riche décoration sculptée et peinte a davantage attiré l'attention des archéologues et des chercheurs – tout comme celle des pilleurs avant 2009. Certains monastères (Kafiriat Tepe, Gol Hamid certainement bien que la fouille n'y soit pas achevée, Shamar Tepe) présentent un plan classique, partagé entre une partie résidentielle autour d'une cour, dotée d'un portique à Kafiriat Tepe, et d'une partie cultuelle avec des stupas, des niches et des chapelles accessibles aux fidèles. D'autres (Kamr Ghari à l'extrémité sud de la crête de la montagne, ou Baghcha Ghundi) semblent n'avoir été qu'un lieu de culte, avec une succession de pièces dont certaines étaient couvertes de coupoles sur trompes d'angle, abritant des stupas et des sculptures de terre crue. Des trésors monétaires y ont aussi été découverts[8]. La chronologie de ces divers établissements bouddhiques devrait encore être précisée dans le cadre d'une synthèse à l'échelle du site de Mes Aynak. Certaines études relatives aux décors peints et sculptés, rapidement publiées, mettent néanmoins déjà en évidence des rapprochements stylistiques entre Mes Aynak, Tepe Sardar à Ghazni, Fondukistan, Bamiyan et, plus loin, l'art rupestre de l'Iran sassanide, Fayaz Tepe et Afrasiab en Ouzbékistan ou Miran dans le Xinjiang, en Chine[9], ainsi qu'une création artistique particulièrement florissante du Ve au VIIe siècle, alors que dominaient dans la région les tribus hunniques des Alkhans et des Nezak, puis les Turki Shahis. La phase finale de Mes Aynak, entre la fin du VIIe et le début du VIIIe siècle, se serait achevée par l'abandon définitif du site, aucune exploitation du cuivre ni occupation n'étant clairement attestée pour la période islamique.

Si la plupart des fresques ont été déposées avec l'aide de la DAFA au Musée national d'Afghanistan, où elles attendent une restauration, la préservation des sculptures de terre crue, pour certaines monumentales et conservées sur deux mètres de hauteur, reste problématique. La réémergence, avec le nouveau régime taliban d'août 2021, du projet d'exploitation du minerai de cuivre sous-jacent laisse planer une menace sur la préservation de ce site.

ill. 204
Sculptures bouddhiques en terre crue mises au jour dans une niche
Afghanistan, Mes Aynak, monastère de Kafiriat Tepe
Photographie mission DAFA, 2010

5 Faticoni, 2014.
6 Noori, Olivieri et Iori, 2019.
7 Lerner, 2018.
8 Ainsi à Kamr Ghari, en 2012, 850 monnaies de cuivre du Kouchan Vasudeva Ier (v. 190-230) ; en 2016, près de 1 000 monnaies de cuivre du Sassanide Shapur II (309-379).
9 Fussman, 2012 ; Litecka et Engel, 2013 ; Filigenzi, 2013 ; Klimburg-Salter, 2018.

Préserver le patrimoine historique : restauration de la mosquée Noh Gonbad

Ajmal Maiwandi

La mosquée Noh Gonbad, située à 4 kilomètres au sud de la vieille ville de Balkh, est considérée par de nombreux historiens et archéologues comme l'un des premiers édifices religieux de l'époque islamique en Afghanistan. La redécouverte de ce monument oublié des Occidentaux est attribuée à Lisa Golombek qui visita le site en août 1966, suivie par Galina A. Pougatchenkova en juillet 1967[1]. Si les avis divergent quant à la date exacte de sa construction, il est admis que la mosquée fut érigée entre la fin du VIIIe et le début du IXe siècle, sous le califat abbasside[2]. Le nom de Noh Gonbad (« neuf dômes ») évoque le nombre des coupoles maçonnées qui couvraient à l'origine le bâtiment. Le monument est aussi appelé localement mosquée de Hadji Piada, d'après le nom d'un petit sanctuaire accolé au mur nord ; signifiant « [ceux qui] voyagent à pied pour le *hajj* », il fait référence à l'histoire de deux amis qui effectuèrent à pied, depuis Balkh jusqu'à La Mecque, le pèlerinage rituel.

De plan carré, d'environ 20 mètres de côté, la mosquée Noh Gonbad se dresse à proximité d'un vaste réservoir d'eau bordé de platanes. À l'intérieur, les murs, colonnes et arches sont ornés d'un décor de stuc d'un grand raffinement, fait de motifs géométriques et floraux étroitement imbriqués, fort similaires à ceux d'édifices d'époque abbasside à Samarra, en Irak. Cette ornementation de stuc correspond à un second état du bâtiment[3]. Reposant à l'origine sur seize colonnes – dont six autoportantes –, les neuf voûtes se sont depuis effondrées, recouvrant le sol d'origine de décombres dont de nombreux restes du décor en stuc. À l'extérieur, de larges portions d'un mur d'enceinte ont été mises au jour, ainsi que quatre colonnes circulaires dont trois sont reliées par deux arches perpendiculaires de plus de 4 mètres de large.

L'exposition du bâtiment, des siècles durant, à la pluie, à la neige et au vent a provoqué une importante érosion de sa structure et de son délicat décor. En 1972, une structure métallique a été érigée au-dessus du site pour le protéger, complétée en 2004 de géotextiles tendus. Le projet de restauration de la mosquée, alors dans un état de détérioration avancé et sur le point de s'effondrer, a été lancé en 2008 par l'Aga Khan Trust for Culture (AKTC) à la demande des autorités afghanes. Dans les six années qui suivirent, une équipe internationale pluridisciplinaire d'architectes, d'ingénieurs et de restaurateurs du patrimoine a été réunie par l'AKTC, en liaison étroite avec ses homologues afghans et avec le soutien de la DAFA, du World Monument Fund, de l'Associazione Giovanni Secco Suardo et du département d'architecture de l'Université de Florence, pour travailler à la conception et à la mise en œuvre d'un des plus ambitieux projets de restauration structurelle et de conservation jamais entrepris en Afghanistan. Le défi était d'affermir la structure du monument sans en affecter l'architecture ni le décor.

ill. 205
Vue d'une des arches centrales de la mosquée
Afghanistan, Noh Gonbad
Photographie Josephine Powell, 1968
Harvard Fine Art Library

1 Golombek, 1969 ; Pougatchenkova, 1968.
2 Adle, 2011.
3 Marquis *et al.*, 2016.

ill. 206
Restauration des stucs de la mosquée
Afghanistan, Noh Gonbad
Photographie Aga Khan Trust for Culture, 2012

Afin de stabiliser les déformations subies par les arches, un grillage en fibre de verre renforcé alternant avec une maçonnerie de briques a été inséré, le *pakhsâ* ou pisé dégradé étant remplacé par une boue de plâtre spécialement conçue à cet effet. Un mortier de chaux composite a été coulé sur les parties exposées de la fibre de verre, puis un polymère renforcé de fibres de carbone a été appliqué sur les extrados des deux arches restantes. En complément, des poutres-caissons en acier inoxydable ont été posées au sommet des arches, arrimées aux colonnes autoportantes.

Pour s'assurer que la stabilisation structurelle du monument n'endommagerait pas le décor de stuc recouvrant la surface intérieure de l'édifice, des travaux de consolidation ont été menés par une équipe française de restaurateurs[4] avant les interventions structurelles ; ces dernières terminées, les stucs décoratifs, dans les creux desquels subsistent des traces d'un pigment bleu – du lapis-lazuli –, ont été restaurés.

Parallèlement, la DAFA, en coopération avec l'Institut afghan d'archéologie, a fouillé les décombres accumulés sur plus d'un mètre de haut à l'intérieur de la mosquée, mettant au jour le sol d'origine, le décor en stuc des parties basses des colonnes – lequel diffère d'ailleurs légèrement de celui des parties hautes –, et redonnant à l'édifice ses proportions originelles.

Érigée à une époque de transition entre des traditions bouddhistes vieilles de plusieurs siècles et l'arrivée de l'islam, la mosquée Noh Gonbad a été décrite comme une « pierre de Rosette architecturale », contenant dans sa forme et ses éléments décoratifs les secrets d'une période méconnue où diverses cultures et traditions coexistaient et s'influençaient mutuellement. La préservation de cet édifice s'est donc révélée cruciale pour appréhender le site et son architecture et, à terme, permettre une compréhension plus fine de l'histoire de la région. Pour l'AKTC, ce fut aussi le préambule d'un projet plus large de restauration des monuments historiques de la ville de Balkh, employant et formant de 2012 à 2017 quelques centaines d'artisans et ouvriers locaux, au bénéfice final des communautés vivant alentour et en ayant l'usage.

---

4 Daniel Ibled et Nathalie Bruhière.

ill. 207
Détail des stucs du décor intérieur de la mosquée
Afghanistan,
Noh Gonbad
Photographie Josephine Powell, 1968
Harvard Fine Art Library

ill. 208
Vue extérieure de la mosquée
Afghanistan,
Noh Gonbad
Photographie Josephine Powell, 1968
Harvard Fine Art Library

Épilogue

Abdel-Ellah Sediqi

Les relations culturelles, portées par des archéologues, conservateurs, administrateurs et diplomates français et afghans, parrainées au plus haut niveau des deux États il y a un siècle, en 1922, comme à plusieurs reprises ensuite, entérinées par un traité d'amitié et de coopération entre la France et l'Afghanistan signé le 27 janvier 2012, représentent l'un des aspects les plus remarquables des relations diplomatiques centenaires entre la France et l'Afghanistan.

En ces temps sombres, alors qu'une fois de plus le peuple afghan est victime de l'oppression talibane et d'une crise humanitaire majeure, dépouillé des acquis durement gagnés en solidarité avec le monde libre au cours des deux dernières décennies, privé de ses droits les plus fondamentaux – le droit de vivre en paix, d'éduquer ses enfants, filles et garçons – et d'accomplir son destin selon ses valeurs, il est, plus que jamais, important de garder l'espoir et de résister par la culture – culture de la paix, de l'humanité, de la lumière et de la résistance.

Le centenaire des relations diplomatiques franco-afghanes nous rappelle que, pour reprendre les mots du général Charles de Gaulle adressés le 1er juin 1965 au roi Zaher Shah, si la situation de l'Afghanistan a pu longtemps paraître lointaine, la France n'en est pas moins proche par la culture et par le sentiment. Et de cette proximité, l'Afghanistan s'est progressivement nourri : en termes d'éducation – citons les lycées Istiqlal et Malalaï à Kaboul –, de droit et de diplomatie – la constitution de la Ve République inspirant directement celle dont se dote l'Afghanistan en 1963 –, mais sans doute plus encore en matière d'archéologie, d'histoire et de patrimoine – l'enrichissement des collections du Musée national d'Afghanistan est intrinsèquement lié aux fouilles et travaux menés par la Délégation archéologique française de 1922 à 1982, puis de 2003 à 2021.

« Afghanistan, ombres et légendes » montre sans équivoque que des mains animées par le bien « changent la terre en or et en ornement », selon une expression afghane. Ces joyaux exhumés des « archives au sol », d'une terre aimée, toujours à défendre et à libérer, sont le patrimoine commun de tous. On ne peut donc qu'être heureux qu'en vertu du principe de partage des découvertes en vigueur jusque dans les années 1950, une partie en ait été confiée au musée national des arts asiatiques – Guimet. Ces collections parisiennes, qui ont échappé à la folie destructrice de la guerre civile puis à l'obscurantisme taliban, qui saccagèrent le Musée national et nombre de sites archéologiques, témoignent, et témoigneront toujours, pour tous, de l'histoire de l'Afghanistan.

Délicats stucs des monastères de Hadda, photographies de la cité d'Aï Khanoum, la ville « grecque » la plus orientale du monde hellénistique, ou de la mosquée de Noh Gonbad près de Balkh, restaurée ces dernières années, images 3D et nouvelles technologies documentant la fouille préventive récente du site bouddhique et minier de Mes Aynak... Tout cela résulte d'un travail en commun mené sur le long terme, se construisant sur les échanges et la confiance, pour révéler, étudier et valoriser l'identité culturelle de l'Afghanistan ; mais aussi, au fil des deux dernières décennies, pour conjurer les démons de la guerre et de l'obscurantisme dont l'Afghanistan s'était un moment senti délivré.

Les événements tragiques de la mi-août 2021 et la régression abyssale qui a suivi dans tous les domaines ne doivent pas nous décourager de reprendre le combat, tel Sisyphe poussant son rocher, pour défendre les valeurs qui nous animent : l'amitié, la solidarité, la cohésion et la fraternité d'un peuple, à travers le partage, le progrès des sciences et l'éducation. Éradiquer le terrorisme, combattre l'ignorance, pacifier le pays : tout cela passe aussi et surtout par la culture, l'esprit, les valeurs morales et le respect des droits humains. Puisse le peuple d'Afghanistan, profondément épris de liberté, trouver aujourd'hui la force spirituelle et morale de lutter pour la recouvrer.

En cette année du centenaire des relations diplomatiques franco-afghanes, j'ai en tête les trois premières phrases des maximes delphiques d'Aï Khanoum : « Dans l'enfance, sois modeste. Dans la jeunesse, sois robuste. À l'âge mûr, sois juste. » Je ne peux que souhaiter que les relations franco-afghanes atteignent, dans ce deuxième centenaire qui s'ouvre aujourd'hui, leur pleine jeunesse et leur pleine solidité.

PAGE SUIVANTE
Détail du décor d'un des minarets du complexe funéraire de Sultan Husayn Bayqara à Hérat
(détail de l'ill. 196)

ANNEXES

Russie
Russie
Ukraine
Mongolie
mer Noire
Kazakhstan
mer Caspienne
Turquie
Ouzbékistan
Kirghizistan
Syrie
Turkménistan
Tadjikistan
Chine
Jordanie
Irak
Iran
Afghanistan
Pakistan
Népal
Arabie saoudite
Inde
mer Rouge
Oman
mer d'Arabie
golfe du Bengale
Yémen
Somalie
Éthiopie
océan Indien
Gonur Depe
Turkménistan
Murghab
Hari Rud
Hérat
Gazurgah
Jam
Harut
Farah
Iran
Khash
Lashkar Gah
Lashkari Bazar
Kanda
Shahr-e Sokhta
Nad Ali
Tar-o Sar
Helmand
Site archéologique
Site moderne

Ouzbékistan
Tadjikistan
Tadjikistan
Chine
Panj
Pamir
Kokcha
aria
Termez
nli
Aï Khanoum
Shortughaï
Dasht-i Qala
aulatabad
Balkh (Bactres)
Tepe Zargaran
Durman Tepe
Tepe
Rostam
Naibabad
Khulm
Kunduz
Noh Gonbad
Mazar-e
Charif
Chaqalaq Tepe
Aq Kupruk
Kosh Tapa
(Tepe Fullol)
Surkh Kotal
Kohna Masjid
Pol-i Khomri
Rag-i Bibi
Chitral
Andarab
Fondukistan
Charikar
Begram
Bamiyan
Shahr-e
Gholghola
Shahr-e Zohak
Shotorak
Goldara
Lalma
Païtava
Foladi
Kakrak
Tepe Skandar
Khair Khane
KABOUL
Tepe Khazana
Tepe Marenjan
Jalalabad
Sahr-i
Bahlol
Shahbaz Garhi
Mes Aynak
Hadda
Basawal
Peshawar
Taxila
ISLAMABAD
Mir Zakah
Helmand
Ghazni
Tepe Sardar
Inde
dab
Tarnak
Pakistan
N
O
E
S
0
100
200
300
400km
Mehrgarh
ACTUAL

BIBLIOGRAPHIE

Adle, 2011
Adle, Chahryar, « La mosquée Hâji-Piyâdah/Noh-Gonbadân à Balkh (Afghanistan), un chef-d'œuvre de Fazl le Barmacide construit en 178-179/794-795 ? », *Comptes rendus des séances de l'Académie des Inscriptions et Belles-Lettres*, 2011, 155-1, p. 565-625.

Allchin et Hammond, 2019
Allchin, Raymond et Hammond Norman (dir.), *The Archaeology of Afghanistan: from earliest times to the Timurid period*, Édimbourg, Edinburgh Press, 2019.

Allen, 1981
Allen, Terry, *A Catalogue of Toponyms and Monuments of Timurid Herat*, Cambridge, Aga Khan Program for Islamic Architecture/Harvard University/Massachusetts Institute of Technology, 1981.

Allen, 1983
Allen, Terry, *Timurid Herat*, Beihefte zum Tübinger Atlas des Vorderen Orients n° 56, Wiesbaden, Reichert, 1983.

Allen et Trousdale, 2019
Allen, Mitchell et Trousdale, William B., « Early Iron Age culture of Sistan, Afghanistan », *Afghanistan*, 2019, vol. II, n° 1, p. 29-69.

Aube, Lorain et Bendezu-Sarmiento, 2019
Aube, Sandra, Lorain, Thomas et Bendezu-Sarmiento, Julio, « The Complex of Gawhar Shad in Herat: New Findings about its Architecture and Ceramic Tile Decorations », *Iran. Journal of the British Institute of Persian Studies*, 2019, vol. LVIII, n° 1, p. 62-83 ; DOI: 10.1080/05786967.2019.1571769.

Ball, 2019a
Ball, Warwick, *The Archaeology of Afghanistan. From the Earliest Times to the Timurid Period*, Édimbourg, Edinburgh University Press, 2019.

Ball, 2019b
Ball, Warwick, *Archaeological Gazetteer of Afghanistan*, édition révisée, Oxford, Oxford University Press, 2019.

Barthoux, 1930, 1933
Barthoux, Jules, *Les fouilles de Hadda III. Figures et figurines, album photographique*, *Mémoires de la DAFA* VI, Paris/Bruxelles, Van Oest, 1930 ; *Les fouilles de Hadda I. Stupas et sites texte et dessin*, *Mémoires de la DAFA* IV, Paris, Édition d'Art et d'Histoire, 1933.

Bendezu-Sarmiento, 2013
Bendezu-Sarmiento, Julio (dir.), *Recherches d'archéologie française en Asie centrale : enjeux socioculturels*, Cahiers d'Asie centrale 21-22, Paris, Éditions De Boccard, 2013.

Bendezu-Sarmiento et Lhuillier, 2020
Bendezu-Sarmiento, Julio et Lhuillier, Johanna, « Transitions socioculturelles lors de la fin de la civilisation de l'Oxus », *Les Nouvelles de l'archéologie*, 2020, n° 161, p. 32-40.

Benoît, 2010
Benoît, Agnès, *Princesse de Bactriane*, Paris, Louvre Éditions / Somogy Éditions d'art, 2010.

Bernard, 1985
Bernard, Paul, *Fouilles d'Aï Khanoum IV. Les monnaies hors trésors*, *Mémoires de la DAFA* XXVIII, Paris, Éditions De Boccard, 1985.

Bernard, 2002
Bernard, Paul, « L'œuvre de la Délégation archéologique française en Afghanistan (1922-1982) », *Comptes rendus des séances de l'Académie des Inscriptions et Belles-Lettres*, 2002, 146-4, p. 1287-1323.

Bernard, 2007
Bernard, Paul, « La mission d'Alfred Foucher en Afghanistan », *Comptes rendus des séances de l'Académie des Inscriptions et Belles-Lettres*, 2007, 141-4, p. 1797-1845.

Bernard et Grenet, 1981
Bernard, Paul et Grenet, Frantz, « Découverte d'une statue du dieu solaire Sūrya dans la région de Caboul », *Studia Iranica*, 1981, 10-1, p. 127-146.

Besenval, Bernard et Jarrige, 2002
Besenval, Roland, Bernard, Paul et Jarrige, Jean-François, « Carnet de route en images d'un voyage sur les sites archéologiques de la Bactriane afghane (mai 2002) », *Comptes rendus des séances de l'Académie des Inscriptions et Belles-Lettres*, 2002, 146-4, p. 1385-1428.

Besenval et Marquis, 2007
Besenval, Roland et Marquis, Philippe, « Le rêve accompli d'Alfred Foucher à Bactres : nouvelles fouilles de la DAFA 2002-2007 », *Comptes rendus des séances de l'Académie des Inscriptions et Belles-Lettres*, 2007, 151-4, p. 1847-1874.

Bopearachchi, 2001
Bopearachchi, Osmund, « Les données numismatiques et la datation du bazar de Begram », *Topoi : Orient-Occident*, 2001, vol. XI, p. 411-435.

Brend, 2003
Brend, Barbara, *Perspectives on Persian Paintings. Illustrations of Amir Khusrau's Khamsah*, Londres/New York, Routledge/Curzon, 2003.

Brend, 2022
Brend, Barbara, *Treasures of Herat. Two manuscripts of the Khamsah of Nizami in the British Library*, Chicago, Chicago University Press, 2022.

Bruno, 1976
Bruno, Andrea, *The Citadel and Minarets of Herat, Afghanistan*, Turin, Sirea, 1976.

Bruno, 1981
Bruno, Andrea, *Restoration of Monuments in Herat, Afghanistan*, rapport technique, Paris, Unesco, 1981.

Cambon, 1996
Cambon, Pierre, « Fouilles anciennes en Afghanistan (1924-1925). Païtava, Karratcha », *Arts asiatiques*, 1996, t. LI, p. 13-28.

Cambon, 2002
Cambon, Pierre (dir.), *Afghanistan, une histoire millénaire*, Paris, MNAAG/Réunion des musées nationaux, 2002.

Cambon, 2004
Cambon, Pierre, « Monuments de Hadda au musée national des arts asiatiques-Guimet », *Monuments et mémoires de la Fondation Eugène Piot*, 2004, t. LXXXIII, p. 131-184.

Cambon, 2007
Cambon, Pierre (dir.), *Afghanistan, les trésors retrouvés*, Paris, MNAAG/Réunion des musées nationaux, 2007.

Cambon et Leclaire, 1999
Cambon, Pierre et Leclaire, Alain, « Étude pétrographique des collections "gréco-bouddhiques" du musée Guimet », *Arts asiatiques*, 1999, t. LIV, p. 135-147.

Casal, 1966
Casal, Jean-Marie, « Mundigak : L'Afghanistan à l'aurore des civilisations », *Archéologia*, 1966, n° 13, p. 30-37.

Coarelli, 1962
Coarelli, Filippo, « The Painted Cups of Begram and the Ambrosian Illiad », *East and West*, 1962, vol. XIII, p. 317-335.

Coarelli, 2009
Coarelli, Filippo, « Ritorno a Begram », *Parthica. Incontri di culture nel mondo antico*, 2009, vol. XI, p. 95-102.

Collinet, 2021
Collinet, Annabelle (dir.), *Précieuses matières. Les arts du métal dans le monde iranien médiéval*, Paris, Louvre éditions/Faton, 2021.

Conolly, 1834
Conolly, Arthur, *Journey to the North of India: overland from England, through Russia, Persia, and Affghaunistaun*, Londres, R. Bentley, 1834.

Courtois, 1962-1963
Courtois, Louis, « Examen minéralogique de quelques roches de monuments gréco-bouddhiques », *Arts asiatiques*, 1962-1963, t. IX, p. 107-113.

Curiel et Fussman, 1965
Curiel, Raoul et Fussman, Gérard, *Le trésor monétaire de Qunduz*, *Mémoires de la DAFA* XX, Paris, Klincksieck, 1965.

Curiel et Schlumberger, 1953
Curiel, Raoul et Schlumberger, Daniel, *Trésors monétaires d'Afghanistan*, *Mémoires de la DAFA* XIV, Paris, Klincksieck, 1953.

Dagens, Le Berre et Schlumberger, 1964
Dagens, Bruno, Le Berre, Marc et Schlumberger, Daniel, *Monuments préislamiques d'Afghanistan*, *Mémoires de la DAFA* XIX, Paris, Klincksieck, 1964.

Dupree, 1971
Dupree, Nancy Hatch, *An historical guide to Afghanistan*, Kaboul, Afghan Tourist Organization, 1971.

Dupree *et al.*, 1972
Dupree, Louis *et al.*, *Prehistoric Research in Afghanistan (1959-1966), Philadelphie*, American Philosophical Society, « Transactions of the American Philosophical Society » vol. LXII, 1972.

Dupree et Kohzad, 1965
Dupree, Nancy Hatch et Kohzad, Ahmad Ali, *An historical guide to Kabul*, Kaboul, Afghan Tourist Organization, 1965.

Dupree et Kohzad, 1967
Dupree, Nancy Hatch et Kohzad, Ahmad Ali, *The Valley of Bamiyan*, Kaboul, Afghan Tourist Organization, 1967.

Eley, Marquis et Noori, 2019
Eley, Thomas, Marquis, Philippe et Noori, Noor Agha, « Archaeometallurgical Evidence at Mes Aynak, Logar Province, Afghanistan », *Archäologische Mitteilungen aus Iran und Turan*, 2019, vol. XLVIII, p. 265-281.

Errington, 2001
Errington, Elizabeth, « Charles Masson and Begram », *Topoi : Orient-Occident*, 2001, vol. XI, p. 357-409.

Errington, 2017
Errington, Elizabeth, *Charles Masson and the Buddhist Sites of Afghanistan: Explorations, Excavations, Collections, 1832–1835*, Londres, The British Museum, 2017.

Faticoni, 2014
Faticoni, Barbara, « First Notes on a Treasure from Mes Aynak », dans Antela-Bernárdez, Borja et Vidal, Jordi (dir.), *Central Asia in Antiquity: Interdisciplinary Approaches*, Oxford, British Archaeological Reports, 2014, p. 23-36.

Filigenzi, 2013
Filigenzi, Anna, « Remarks on the wall paintings from Mes Aynak », dans Litecka, Stepanka et Engel, Nicolas (dir.), *Recent archaeological works in Afghanistan, Preliminary Studies on Mes Aynak Excavations and Other Field Works*, Kaboul, ministère de l'Information et de la Culture, 2013, p. 41-52.

Fischer, 1974
Fischer, Klaus, *Geländebegehungen in Sistan 1955-1973 und die Aufnahme von Dewal-i Khodaydad 1970*, Bonn, R. Habelt, 1974.

Foucher, 1923
Foucher, Alfred, « Notice archéologique de la vallée de Bamiyan », *Journal asiatique*, 1923, vol. CCV, n° 1, p. 354-358.

Foucher, 1942-1947
Foucher, Alfred, *La vieille route de l'Inde de Bactres à Taxila*, *Mémoires de la DAFA* I, Paris, Édition d'Art et d'Histoire, 1942-1947.

Francfort, 1984
Francfort, Henri-Paul, *Fouilles d'Aï Khanoum III. Le sanctuaire du temple à niches indentées. 2. Les trouvailles*, *Mémoires de la DAFA* XXVII, Paris, Éditions De Boccard, 1984.

Francfort, 1989
Francfort, Henri-Paul, *Fouilles de Shortughaï: Recherches sur l'Asie centrale protohistorique*, *Mémoires de la MAFAC* II, Paris, Diffusion De Boccard, 1989.

Francfort, 2009
Francfort, Henri-Paul, « L'âge du Bronze en Asie centrale. La civilisation de l'Oxus », *Anthropology of the Middle East*, 2009, vol. IV, n° 1, p. 91-111.

Francfort *et al.*, 2019
Francfort, Henri-Paul, Lyonnet, Bertille, Petrie, Cameron et Shaffer, Jim, « The Development of the Oxus Civilisation North of the Hindu Kush », dans Allchin, Raymond et Hammond Norman (dir.), *The Archaeology of Afghanistan: from earliest times to the Timurid period*, Édimbourg, Edinburgh Press, 2019, p. 99-160.

Franke et Müller-Wiener, 2016
Franke, Ute et Müller-Wiener, Martina (dir.), *Herat Through Time. The Collections of the Herat Museum and Archive. Ancient Herat vol. 3*, Berlin, Staatliche Museen zu Berlin, 2016.

Franke et Urban, 2017
Franke, Ute et Urban, Thomas, *Excavations and Explorations in Herat City. Ancient Herat vol. 2*, Berlin, Staatliche Museen zu Berlin, 2017.

Franke et Urban, à paraître
Franke, Ute et Urban, Thomas, *Documentation of Archaeological Sites and Monuments in Herat Province*, à paraître.

Franke, Urban et Khairzade, 2020
Franke, Ute, Urban, Thomas et Khairzade, Khair M., « The "Musalla"-Complex in Herat Revisited – Recent Archaeological Investigations at the Gawhar Shad Madrasa », dans Ahrens, Alexander, Rokitta-Krumnow, Dörte, Bloch, Franziska et Bührig, Claudia (dir.), *Pulling the Threads Together. Studies on Archaeology in Honour of Karin Bartl*, Münster, Zaphon, 2020, p. 91-141.

Fussman, 1972
Fussman, Gérard, *Atlas linguistique des parlers dardes et kafirs*, Paris, École française d'Extrême-Orient, 1972.

Fussman, 1974
Fussman, Gérard, « Ruines de la vallée du Wardak », *Arts asiatiques*, 1974, vol. XXX, p. 65-130.

Fussman, 2008
Fussman, Gérard, *Monuments bouddhiques de la région de Caboul*, Paris, Collège de France, 2008.

Fussman, 2012
Fussman, Gérard, « A newly discovered "Pensive Bodhisattva" », dans Fussman, Gérard et Quagliotti, Anna-Maria, *The Early Iconography of Avalokitesvara*, Paris, Éditions De Boccard, 2012.

Fussman et Guillaume, 1990
Fussman, Gérard et Guillaume, Olivier, *Surkh Kotal en Bactriane, II : Les monnaies. Les petits objets*, *Mémoires de la DAFA* XXXII, Paris, Diffusion De Boccard, 1990.

Fussman et Le Berre, 1976
Fussman, Gérard et Le Berre, Marc, *Monuments bouddhiques de la région de Caboul, 1. Le monastère de Gul Dara*, *Mémoires de la DAFA* XXII, Paris, Diffusion De Boccard, 1976.

Gaibov, Koschelenko et Trebeleva, 2010
Gaibov, V.A., Koschelenko, G.A. et Trebeleva, G.V., « Archaeological Gazetteer of Afghanistan. Addenda, Herat Oasis », *Parthica. Incontri di culture nel mondo antico*, 2010, vol. XII, p. 107-116.

Gardin, 1957a
Gardin, Jean-Claude, *La céramique de Bactres*, *Mémoires de la DAFA* XV, Paris, Klincksieck, 1957.

Gardin, 1957b
Gardin, Jean-Claude, « Poteries de Bamiyan », *Ars Orientalis*, 1957, vol. II, p. 227-245.

Gardin, 1963
Gardin, Jean-Claude, *Lashkari Bazar : une résidence royale ghaznévide et ghoride. Vol. 2. Les trouvailles : céramiques et monnaies*, *Mémoires de la DAFA* XVIII, Paris, Klincksieck, 1963.

Gardin, 1998
Gardin, Jean-Claude, *Prospections archéologiques en Bactriane orientale (1974-1978). Volume 3. Description des sites et notes de synthèse*, *Mémoires de la MAFAC* IX, Paris, Éditions Recherches sur les Civilisations, 1998.

Gascoigne, 2010
Gascoigne, Alison L., « Pottery from Jām: a Mediaeval ceramic corpus from Afghanistan », *Iran*, 2010, vol. XLVIII, p. 107-151.

Gaube, 1977
Gaube, Heinz, « Innenstadt und Vorstadt. Kontinuität und Wandel im Stadtbild von Herat zwischen dem 10. und dem 15. Jahrhundert », dans Schweizer, Günther (dir.), *Beiträge zur Geographie orientalischer Städte und Märkte*, Wiesbaden, Reichert Verlag, 1977, p. 213-240.

Gaube, 1979
Gaube, Heinz, « Herat: An Indo-Iranian City », dans Gaube, Heinz (dir.), *Iranian Cities*, New York, New York University Press, 1979, p. 31-63.

Gentelle, 1989
Gentelle, Pierre, *Prospections archéologiques en Bactriane orientale (1974-1978). Volume 1. Données paléogéographiques et fondements de l'irrigation*, *Mémoires de la MAFAC* III, Paris, Éditions Recherches sur les Civilisations, 1989.

Ghirshman, 1946
Ghirshman, Roman, *Begram. Recherches archéologiques et historiques sur les Kouchans*, *Mémoires de la DAFA* XII, Le Caire, Institut français d'archéologie orientale, 1946.

Ghirshman, 1948
Ghirshman, Roman, *Les Chionites-Hephtalites*, *Mémoires de la DAFA* XIII, Le Caire, Institut français d'archéologie orientale, 1948.

Göbl, 1967
Göbl, Robert, *Dokumente zur Geschichte der iranischen Hunnen in Baktrien und Indien*, t. II, Wiesbaden, Harrassowitz, 1967.

Godard, Godard et Hackin, 1928
Godard, André, Godard, Yedda et Hackin, Joseph, *Les antiquités bouddhiques de Bamiyan*, *Mémoires de la DAFA* II, Paris, Van Oest, 1928.

Golombek, 1969
Golombek, Lisa, « Abbasid Mosque at Balkh », *Oriental Art*, 1969, 15/3, p. 173-189.

Golombek et Wilber, 1988
Golombek, Lisa et Wilber, Donald, *The Timurid architecture, of Iran and Turan*, Princeton, Princeton University Press, 1988.

Grenet, 1996
Grenet, Frantz, « Crise et sortie de crise en Bactriane-Sogdiane aux IVe-Ve siècles : de l'héritage antique à l'adoption des modèles sassanides », dans *La Persia e l'Asia Centrale da Alessandro al X secolo*, Rome, Accademia Nazionale dei Lincei, 1996, p. 367-390.

Grenet, 2005
Grenet, Frantz, « Découverte d'un relief sassanide dans le nord de l'Afghanistan », *Comptes rendus des séances de l'Académie des Inscriptions et Belles-Lettres*, 2005, 149-1, p. 115-134.

Grousset, 1929-1930
Grousset, René, *Les civilisations de l'Orient. Tome II : L'Inde*, Paris, Les Éditions G. Crès & Cie, 1929-1930.

Hackin, 1923
Hackin, Joseph, *Guide-catalogue du Musée Guimet. Les collections bouddhiques (exposé historique et iconographique). Inde centrale et Gandhâra, Turkestan, Chine septentrionale, Tibet*, Paris, Van Oest, 1923.

Hackin, 1926
Hackin, Joseph, « Les idoles du Kafiristan », *Artibus Asiae*, 1926, vol. IV, p. 258-262.

Hackin, 1928
Hackin, Joseph, « Mythologie des Kafirs », dans *Mythologie asiatique illustrée*, Paris, Librairie de France, 1928, p. 25-28.

Hackin, 1933
Hackin, Joseph, *Nouvelles recherches archéologiques à Bamiyan*, *Mémoires de la DAFA* III, Paris, Van Oest, 1933.

Hackin, 1936
Hackin, Joseph, *Recherches archéologiques au col de Khair Khaneh près de Kâboul*, *Mémoires de la DAFA* VII, Paris, Édition d'Art et d'Histoire, 1936.

Hackin, 1939
Hackin, Joseph, *Recherches archéologiques à Begram (1937)*, *Mémoires de la DAFA* IX, Paris, Édition d'Art et d'Histoire, 1939.

Hackin, 1950
Hackin, Joseph, « The Buddhist Monastery of Fondukistan », *Afghanistan*, 1950, vol. V, no 2, p. 19-35.

Hackin, 1954
Hackin, Joseph, *Nouvelles recherches archéologiques à Begram (1939-1940)*, *Mémoires de la DAFA* XI, Paris, Presses universitaires de France, 1954.

Hackin, 1959
Hackin, Joseph, « Le monastère bouddhique de Fondukistan (fouilles de J. Carl, 1937) », dans Hackin, Joseph, Carl, Jean et Meunié, Jacques, *Diverses recherches archéologiques en Afghanistan*, *Mémoires de la DAFA* VIII, Paris, Presses universitaires de France, 1959, p. 49-58.

Hackin, Carl et Meunié, 1959
Hackin, Joseph, Carl, Jean et Meunié, Jacques, *Diverses recherches archéologiques en Afghanistan (1933-1940)*, *Mémoires de la DAFA* VIII, Paris, Presses universitaires de France, 1959.

Hackin et Grousset, 1928
Hackin, Joseph et Grousset, René, *Le Musée Guimet (1918-1927)*, Annales du Musée Guimet, Bibliothèque de vulgarisation 48, Paris, Geuthner, 1928.

Hamelin, 1952
Hamelin, Pierre, « Sur quelques verres de Begram », *Cahiers de Byrsa*, 1952, t. II, p. 11-25.

Hamelin, 1953
Hamelin, Pierre, « Matériaux pour servir à l'étude des verreries de Begram », *Cahiers de Byrsa*, 1953, t. III, p. 121-156.

Hamelin, 1954
Hamelin, Pierre, « Matériaux pour servir à l'étude des verreries de Begram », *Cahiers de Byrsa*, 1954, t. IV, p. 153-183.

Jacquet, 1836
Jacquet, Émile, « Notice sur les découvertes archéologiques faites par Martin Honigberger dans l'Afghanistan », *Journal asiatique*, septembre 1836, p. 233-276, pl. I-XIII.

Jacquet, 1837
Jacquet, Émile, « Notice sur les découvertes archéologiques faites par Martin Honigberger dans l'Afghanistan (suite) », *Journal asiatique*, novembre 1837, p. 401-440.

Jacquet, 1839
Jacquet, Émile, « Notice sur les découvertes archéologiques faites par M. le Dr. Honigberger (suite) », *Journal asiatique*, mai 1839, p. 385-404, pl. XIV-XVII.

Karev, 2013
Karev, Yury, « From tents to city. The royal court of the Western Qarakhanids between Bukhara and Samarqand », dans Durand-Guédy, David (dir.), *Turko-Mongol Rulers, Cities and City Life*, Leyde/Boston, Brill, 2013, p. 99-147.

Klimburg-Salter, 1989
Klimburg-Salter, Deborah, *The Kingdom of Bāmiyān: The Buddhist Art and Culture of the Hindu Kush*, Naples/Rome, Istituto Universitario Orientale/IsMEO, 1989.

Klimburg-Salter, 2008
Klimburg-Salter, Deborah, « Buddhist Painting in the Hindu Kush c. VIIth to Xth centuries: Reflections of the co-existence of pre-Islamic and Islamic artistic cultures during the early centuries of the Islamic era », dans Vaissière, Étienne de la (dir.), *Islamisation de l'Asie centrale. Processus locaux d'acculturation du* VIIe *au* XIe *siècle*, Paris, Association pour l'avancement des études iraniennes, 2008, p. 131-159.

Klimburg-Salter, 2010
Klimburg-Salter, Deborah, « Corridors of Communication across Afghanistan », dans Marigo, Alain (dir.), *Paysages du centre de l'Afghanistan : paysages naturels, paysages culturels. Hindou-Kouch, lacs de Band-e-Amir, vallée de Bamiyan*, Paris, Centre d'études et de recherches documentaires sur l'Afghanistan, 2010, p. 173-192.

Klimburg-Salter, 2018
Klimburg-Salter, Deborah, « Contextualizing Mes Aynak », *Afghanistan. Journal of the American Institute of Afghanistan Studies*, 2018, vol. I, n° 2, p. 213-238.

Koetschet, 2021
Koetschet, Régis, *À Kaboul rêvait mon père. André Malraux en Afghanistan*, Paris, Nevicata, 2021.

Kruglikova, 2005
Kruglikova, I. T., « The Exploration of Archaeological Sites Performed by the Members of Soviet-Afghanistan Expedition (SAE) in the North and the Northwest of Afghanistan in 1969-1976 », *Journal of Historical, Philological and Cultural Studies*, 2005, p. 309-437.

Kuwayama, 1974
Kuwayama, Shoshin, « Kāpiśī Begrām III: Renewing its dating », *Orient*, 1974, t. X, p. 57-78.

Kuwayama, 1976
Kuwayama, Shoshin, « The Turki Śāhis and Relevant Bhramanical Sculptures in Afghanistan », *East and West*, 1976, vol. XXVI, n° 3, p. 375-407.

Kuwayama, 1991
Kuwayama, Shoshin, « The Horizon of Begram III and Beyond. A Chronological Interpretation of the Evidence for Monuments in the Kāpiśī-Kabul-Ghazni Region », *East and West*, 1991, vol. XLI, n° 1, p. 79-120.

Kuwayama, 2010
Kuwayama, Shoshin, « Between Begram II and III. A blank period in the history of Kāpiśī », dans Alram, Michel, Klimburg-Salter, Deborah, Inaba, Minoru et Pfisterer, Matthias (dir.), *Coins, Art and Chronology, II, The first Millenium C.E. in the Indo-Iranian Borderlands*, Vienne, Österreichische Akademie der Wissenschaften, 2010, p. 283-297.

Lal, 1846
Lal, Mohan, *Travels in the Panjab, Afghanistan, and Turkistan, to Balk, Bokhara and Herat; and a Visit to Great Britain and Germany*, Londres, W.H. Allenn & Co, 1846.

Laviola, 2020
Laviola, Valentina, *Islamic metalwork from Afghanistan (9th-13th century). The documentation of the IsMEO, Italian Archaeological Mission*, Naples, Unior Press, 2020.

Le Berre, 1987
Le Berre, Marc, *Monuments pré-islamiques de l'Hindukush central, Mémoires de la DAFA* XXIV, Paris, Éditions Recherches sur les Civilisations, 1987.

Le Berre et Schlumberger, 1964
Le Berre, Marc et Schlumberger, Daniel, « Observations sur les remparts de Bactres », extrait de *Monuments préislamiques d'Afghanistan, Mémoires de la DAFA* XIX, Paris, Klincksieck, 1964.

Lecuyot, 2014
Lecuyot, Guy (dir.), *Il y a 50 ans… la découverte d'Aï Khanoum*, Paris, Éditions De Boccard, 2014.

Lentz et Lowry, 1989
Lentz, Thomas et Lowry, Glenn, *Timur and the Princely Vision. Persian Art and Culture in the Fifteenth Century*, Los Angeles, County Museum of Art, 1989.

Lerner, 2018
Lerner, Judith, « A prolegomenon to the study of pottery stamps from Mes Aynak », *Afghanistan. Journal of the American Institute of Afghanistan Studies*, 2018, vol. I, n° 2, p. 239-256.

Lhuillier et Boroffka, 2018
Lhuillier, Johanna et Boroffka, Nikolaus (dir.), *A millennium of history: the Iron Age in southern Central Asia (2nd and 1st millennia BC), Archäologie in Iran und Turan (AMIT)* 17 et *Mémoires de la DAFA* XXXV, Berlin, Dietrich Reimer Verlag, 2018.

Litecka et Engel, 2013
Litecka, Stepanka et Engel, Nicolas, *Recent archaeological works in Afghanistan, Preliminary Studies on Mes Aynak Excavations and Other Field Works*, Kaboul, ministère de l'Information et de la Culture, 2013.

Luneau, 2014
Luneau, Élise, *La fin de la civilisation de l'Oxus*, Paris, Éditions De Boccard, 2014.

Lyonnet, 1997
Lyonnet, Bertille, *Prospections archéologiques en Bactriane orientale (1974-1978). Volume 2. Céramique et peuplement du chalcolithique à la conquête arabe, Mémoires de la MAFAC* VIII, Paris, Éditions Recherches sur les Civilisations, 1997.

Lyonnet et Dubova, 2021
Lyonnet, Bertille et Dubova, Nadezhda (dir.), *The world of the Oxus Civilization*, Londres, Routledge, 2021.

Makariou, 2021
Makariou, Sophie, *Le Partage d'Orient*, Paris, Stock, 2021.

Maksymiuk, Kubik et Skrupniewicz, 2020
Maksymiuk, Katarzyna, Kubik, Adam et Skrupniewicz, Patryk, « The rock relief at Rag-i Bibi: can it be considered as Sasanian? », dans Nikonorov, V.P., Kircho, L.B. et Stojanov, E.O. (dir.), *Ancient and medieval cultures of Central Asia*, Saint-Pétersbourg, 2020.

Malraux, 1951
Malraux, André, *Les Voix du silence*, Paris, Gallimard, 1951.

Marquis, 2011
Marquis, Philippe, « La Délégation archéologique française en Afghanistan son histoire, son présent », *Les Nouvelles d'Afghanistan*, 2011, n° 132, p. 14-20.

Marquis *et al.*, 2016
Marquis, Philippe, Bendezu-Sarmiento, Julio, Lorain, Thomas et Rassuli, Nader, « Hadji Piada/Noh Gonbad: Works carried out by the French Archaeological Delegation »,

dans Longhi, Elisabetta (dir.), *The Nine Domes of the Universe. The ancient Noh Gonbad Mosque. The study and conservation of an Early Islamic monument in Balkh*, Kaboul/ New York/Lurano/Bergame, Aga Khan Trust for Culture/ Délégation archéologique française en Afghanistan (DAFA)/World Monuments Fund/Associazione Giovanni Secco Suardo/Bolis Edizioni, 2016, p. 49-59.

Masson, 1830
Masson, Charles, « Second Memoir on the Ancient Coins found at Beghram in the Kohistan of Kābul », *Journal of the Asiatic Society of Bengal*, 1836, vol. V, p. 1-28.

Masson, 1842
Masson, Charles, *Narrative of various journeys in Balochistan, Afghanistan, and the Panjab, including a residence in those countries from 1826 to 1838*, Londres, R. Bentley, 1842.

Mehendale, 1997
Mehendale, Sanjyot, *Begram: New Perspectives on the Ivory and Bone Carvings*, thèse de doctorat, Berkeley, université de Californie, 1997. http://ecai.org/begram web/

Mehendale, 2001
Mehendale, Sanjyot, « The Begram Ivory and Bone Carvings: Some Observations on Provenance and Chronology », *Topoi : Orient-Occident*, 2001, vol. XI, p. 485-514.

Mehendale, 2011
Mehendale, Sanjyot, « Begram: At the Heart of the Silk Roads », dans Hiebert, Fredrik et Cambon, Pierre (dir.), *Afghanistan: Crossroads of the Ancient World*, Londres, British Museum Press, 2011, p. 131-144.

Mehendale, 2012
Mehendale, Sanjyot, « The Begram Carvings: Itinerancy and the Problem of "Indian" Art », dans Aruz, Joan et Valtz Fino, Elisabetta (dir.), *Afghanistan: Forging Civilizations along the Silk Road*, New York, The Metropolitan Museum of Art, 2012, p. 64-77.

Meunié, 1942
Meunié, Jacques, *Shotorak*, *Mémoires de la DAFA* X, Paris, Édition d'Art et d'Histoire, 1942.

Mizuno, 1968
Mizuno, Seiichi (dir.), *Durman Tepe and Lalma, Buddhist sites in Afghanistan surveyed in 1963-1965*, Kyoto, Kyoto University, 1968.

Mizuno, 1971
Mizuno, Seiichi (dir.), *Basawal and Jelalabad-Kabul, Buddhist Cave Temples and Topes in South-East Afghanistan surveyed mainly in 1965*, Kyoto, Kyoto University, 1971.

Morris, 2017
Morris, Lauren, « Revised dates for the deposition of the Begram hoard and occupation at the New Royal City », *Parthica. Incontri di culture nel mondo antico*, 2017, vol. XIX, p. 75-104.

Mostamandi et Mostamandi, 1969
Mostamandi, Mariella et Mostamandi, Shaibai, « Nouvelles fouilles à Hadda (1966-1967) par l'Institut afghan d'archéologie », *Arts asiatiques*, 1969, t. XIX, p. 15-36.

Najimi, 1988
Najimi, Wasay, *Herat, the Islamic city: a study in urban conservation*, Londres, Curzon, 1988.

New excavations in Afghanistan – Mes Aynak, 2011
New excavations in Afghanistan – Mes Aynak, cat. exp. Kaboul, Musée national d'Afghanistan, 2011.

Noelle-Karimi, 2014
Noelle-Karimi, Christine, *The Pearl in Its Midst. Herāt and the Mapping of Khurāsān from the 15th to the 19th Centuries*, Vienne, Austrian Academy of Sciences Press, 2013.

Noori, Olivieri et Iori, 2019
Noori, Noor Agha, Olivieri, Luca Maria et Iori, Elisa, « Fashion Ware in Mes Aynak, Logar: Chronology and comparison (with an Appendix on a single specimen of tulip-bowl from Site MA-100) », *Afghanistan. Journal of the American Institute of Afghanistan Studies*, 2019, vol. II, nº 1, p. 91-114.

O'Kane, 1987
O'Kane, Bernard, *Timurid Architecture in Khurasan*, Costa Mesa, Mazda Publishers, 1987.

Olivier-Utard, 2003
Olivier-Utard, Françoise, *Politique et archéologie. Histoire de la Délégation archéologique française en Afghanistan, 1922-1982*, Paris, Éditions Recherche sur les Civilisations, 2003.

Pernot, 1927
Pernot, Maurice, *L'inquiétude de l'Orient : en Asie musulmane*, Paris, Hachette, 1927.

Petrie et Shaffer, 2019
Petrie, Cameron A. et Shaffer, Jim G., « The Development of a "Helmand Civilisation" South of the Hindu Kush », dans Allchin, Raymond et Hammond Norman (dir.), *The Archaeology of Afghanistan: from earliest times to the Timurid period*, Londres/New York/San Francisco, Academic Press, 2019, p. 161-259.

Pons, 2019
Pons, Jessie, « Gandharan Art(s): Methodologies and preliminary results of a stylistic analysis », dans Rienjang, Wannaporn et Steward, Peter (dir.), *The Geography of Gandharan Art*, Oxford, Archaeopress Publishing, 2019, p. 3-40.

Pougatchenkova, 1968
Pougatchenkova, Galina Anatolievna, « Les monuments peu connus de l'architecture médiévale de l'Afghanistan », *Afghanistan*, 1968, vol. XXI, nº 1, p. 17-52.

Rapin, 1992
Rapin, Claude, *Fouilles d'Aï Khanoum VIII. La trésorerie du palais hellénistique d'Aï Khanoum. L'apogée et la chute du royaume grec de Bactriane*, *Mémoires de la DAFA* XXXIII, Paris, Éditions De Boccard, 1992.

Rowland, 1961
Rowland, Benjamin, « The Bejewelled Buddha in Afghanistan », *Artibus Asiae*, 1961, vol. XXIV, nº 1, p. 20-24.

Roxburgh, 2000
Roxburgh, David J., « Kamal al-Din Bihzad and Authorship in Persianate Painting », *Muqarnas*, 2000, vol. XVII, p. 119-146.

Rütti, 1998
Rütti, Beat, « Begram, 356 n. Chr. », dans Römerstadt, Augusta Raurica (dir.), *Mille Fiori. Festschrift für Ludwig Berger zu seinem 65. Geburtstag*, Augst, Römermuseum, 1998, p. 193-200.

Saljuqi, 1967
Saljuqi, F., « Havāshī-ye ākhar musammābe Ta'līqāt 3 of Asîl al-dîn Vâ'iz Haravî/Hiravî, 'Abdallâh al-Husaynî, Risâle-ye Mazârât-e Herât 1–2 », dans Saljuqi, F. (dir.), *Ta'līqāt Risāle-ye mazārāt-e Herāt* [Traité sur les sanctuaires d'Hérat], Kaboul, 1967, p. 141-144.

Samizay, 1981
Samizay, Rafi, *Islamic Architecture in Herat. A Study Towards Conservation*, Kaboul, 1981.

Sarianidi, 1976
Sarianidi, Viktor Ivanovitch, « Issledovaniye pamyatnikov dashlinskogo oazisa » [Recherches sur les monuments de l'oasis de Dashli], dans Kruglikova, G., *Drevnayaya Baktriya* [L'antique Bactriane], t. I, Moscou, 1976, p. 21-86.

Sarianidi, 1977
Sarianidi, Viktor Ivanovitch, *Drevnie zemledel'tsy Afghanistana*, Moscou, Académie des sciences de l'URSS, 1977.

Sarianidi, 1979
Sarianidi, Viktor Ivanovitch, « Trésors d'une nécropole royale en Bactriane », *Archéologia*, 1979, nº 135, p. 18-27.

Sarianidi, 1985
Sarianidi, Viktor Ivanovitch, *L'or de Bactriane*, Léningrad, Éditions d'art Aurora, 1985.

Schlumberger, 1952
Schlumberger, Daniel, « Le palais ghaznévide de Lashkari Bazar », *Syria. Archéologie, Art et Histoire*, 1952, t. XXVIX, fasc. 3-4, p. 251-270.

Schlumberger, 1955
Schlumberger, Daniel, « Le marbre Scorretti », *Arts asiatiques*, 1955, t. II, p. 112-119.

Schlumberger, 1960a
Schlumberger, Daniel, « Descendants non méditerranéens de l'art grec », *Syria. Archéologie, Art et Histoire*, 1960, t. XXXVII, fasc. 1-2, p. 131-166.

Schlumberger, 1960b
Schlumberger, Daniel, « La recherche archéologique française en Afghanistan », dans *Colloque sur les recherches des Instituts français de sciences humaines en Asie*, Paris, Éditions de la Fondation Singer-Polignac, 1960, p. 285-290.

Schlumberger, 1970
Schlumberger, Daniel, « *L'Orient hellénisé* ». *L'Art grec et ses héritiers dans l'Asie non méditerranéenne*, Paris, Éditions Albin Michel, 1970.

Schlumberger, 1978
Schlumberger, Daniel, *Lashkari Bazar : une résidence royale ghaznévide et ghoride. Vol. 1A : l'architecture*, *Mémoires de la DAFA* XVIII, Paris, Diffusion De Boccard, 1978.

Schlumberger, Le Berre et Fussman, 1983
Schlumberger, Daniel, Le Berre, Marc et Fussman, Gérard, *Surkh Kotal en Bactriane. 1, Les temples : architecture, sculpture, inscriptions : Planches*, *Mémoires de la DAFA* XXV, Paris, Éditions De Boccard, 1983.

Siméon, 2012
Siméon, Pierre, « Hulbuk: Architecture and Material Culture of the Capital of the Banijurids in Central Asia (Ninth-Eleventh centuries) », *Muqarnas*, 2012, vol. XXIX, p. 385-421.

Sourdel-Thomine, 1978
Sourdel-Thomine, Janine, *Lashkari Bazar : une résidence royale ghaznévide et ghoride. Vol. 1 : Le décor non figuratif et les inscriptions*, *Mémoires de la DAFA* XVIII, Paris, Diffusion De Boccard, 1978.

Subtelny, 1988
Subtelny, Maria E., « Socioeconomic bases of cultural patronage under the later Timurids », *International Journal of Middle Eastern Studies*, 1988, vol. XX, n° 4, p. 479-505.

Subtelny, 2007
Subtelny, Maria E., *Timurids in Transition. Turko-Persian Politics and Acculturation in Medieval Iran*, Leyde, Brill, 2007.

Szuppe, 1993
Szuppe, Maria, « Les résidences princières de Hérat. Problèmes de continuité fonctionnelle entre les époques timouride et safavide (1re moitié du XVIe siècle) », dans Calmard, Jean (dir.), *Études Safavides*, Paris/Téhéran, Institut français de recherche en Iran, 1993, p. 267-286.

Szuppe, 2003
Szuppe, Maria, « Herat IV. Topography and Urbanism », *Encyclopaedia Iranica*, 2003, vol. XII, p. 211-217.

Tarzi, 1975
Tarzi, Zemaryalai, « Fondukistan Excavations », *Afghanistan*, 1975, vol. XXVIII, n° 2, p. 1-7.

Tarzi, 1976
Tarzi, Zemaryalai, « Hadda à la lumière des trois campagnes de fouilles de Tapa-é-Shotor (1974-1976) », *Comptes rendus des séances de l'Académie des Inscriptions et Belles-Lettres*, 1976, 120-3, p. 381-410.

Tarzi, 1996
Tarzi, Zemaryalai, « Jules Barthoux : le découvreur oublié d'Aï Khanoum », *Comptes rendus des séances de l'Académie des Inscriptions et Belles-Lettres*, 1996, 140-2, p. 595-611.

Tissot, 2006
Tissot, Francine, *Catalogue of the National Museum of Afghanistan 1961-1985*, Paris, Unesco Publishing, 2006.

Trousdale et Allen, 2022
Trousdale, William B. et Allen, Mitchell, *The Archaeology of Southwest Afghanistan. I: Survey and Excavation*, Édimbourg, Edinburg University Press, 2022.

Viollis, 1930
Viollis, Andrée, *Tourmente sur l'Afghanistan*, Paris, Librairie Valois, 1930.

Whitehouse, 2001
Whitehouse, David, « Begram: The Glass », *Topoi : Orient-Occident*, 2001, vol. XI, p. 151-157.

Whitehouse, 2012
Whitehouse, David, « The Glass from Begram », dans Aruz, Joan et Valtz Fino, Elisabetta (dir.), *Afghanistan: Forging Civilizations along the Silk Road*, New York, The Metropolitan Museum of Art, 2012, p. 54-63.

Wilkinson, 1986
Wilkinson, Charles, *Nishapur, Some Early Islamic Buildings and their Decoration*, New York, The Metropolitan Museum of Art, 1986.

Wilson, 1841
Wilson, Horace Hayman, *Ariana Antiqua. A descriptive Account of the Antiquities and Coins of Afghanistan: With a Memoir on the Buildings called Topes, by C. Masson, Esq.*, Londres, East India Company, 1841.

Young, 1955
Young, Rodney S., « The south wall of Balkh-Bactres », *American Journal of Archaeology*, 1955, vol. LIX, n° 4, p. 267-276.

REPÈRES CHRONOLOGIQUES

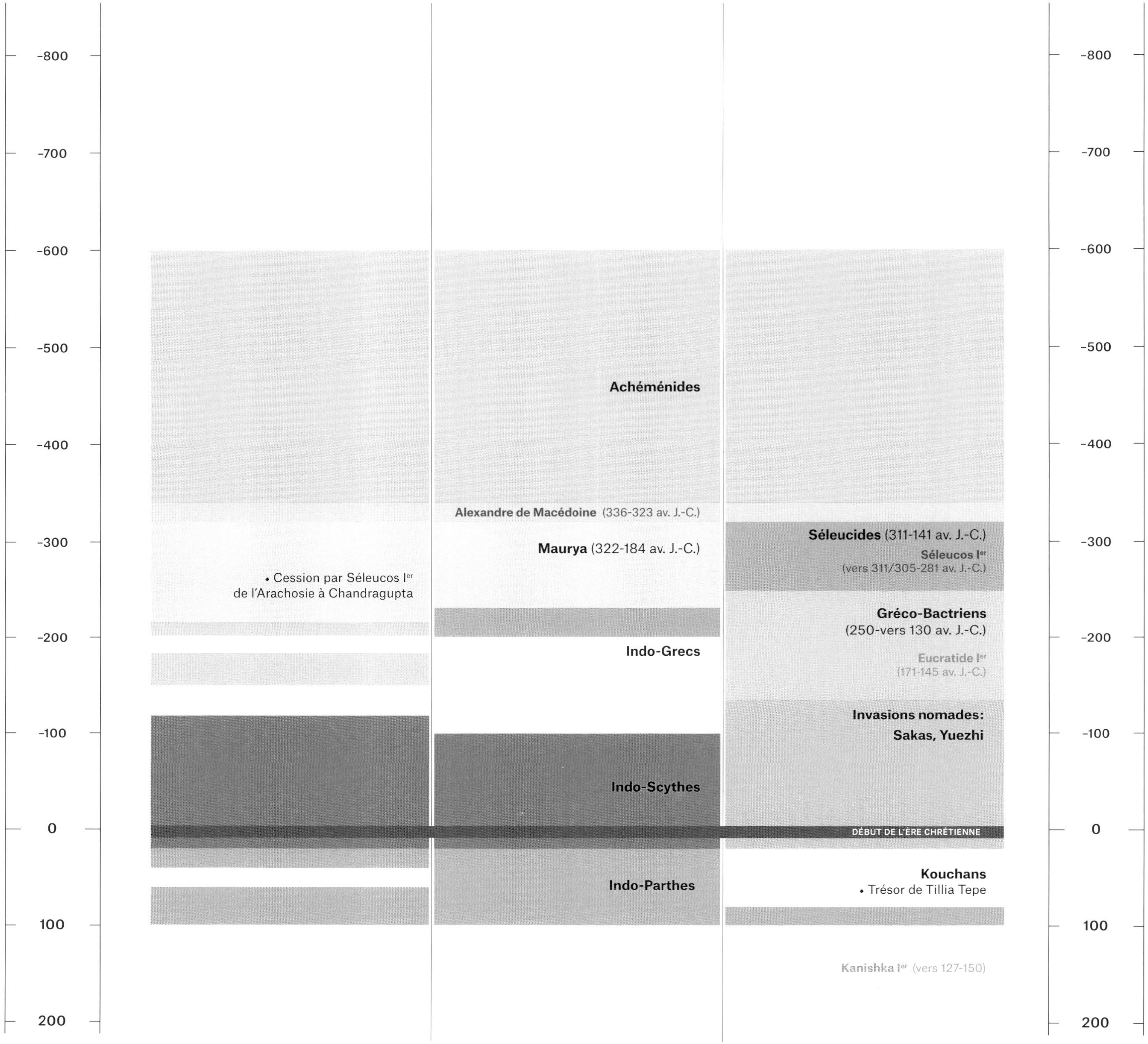

-800
-700
-600
-500
-400
-300
-200
-100
0
100
200

• Cession par Séleucos Ier
de l'Arachosie à Chandragupta

Achéménides

Alexandre de Macédoine (336-323 av. J.-C.)

Maurya (322-184 av. J.-C.)

Indo-Grecs

Indo-Scythes

Indo-Parthes

Séleucides (311-141 av. J.-C.)
Séleucos Ier
(vers 311/305-281 av. J.-C.)

Gréco-Bactriens
(250-vers 130 av. J.-C.)

Eucratide Ier
(171-145 av. J.-C.)

Invasions nomades:
Sakas, Yuezhi

DÉBUT DE L'ÈRE CHRÉTIENNE

Kouchans
• Trésor de Tillia Tepe

Kanishka Ier (vers 127-150)

-800
-700
-600
-500
-400
-300
-200
-100
0
100
200

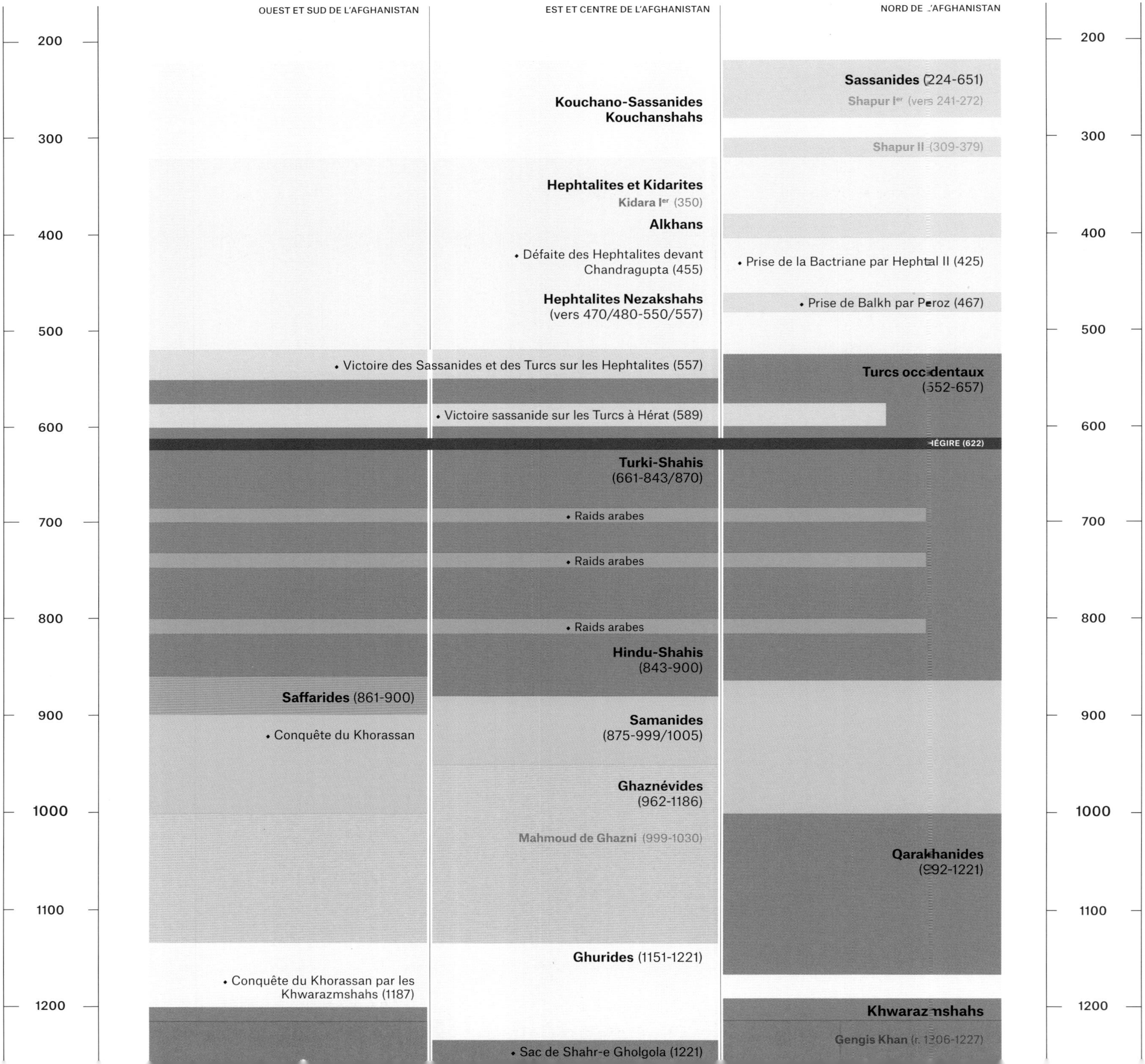

200 · 300 · 400 · 500 · 600 · 700 · 800 · 900 · 1000 · 1100 · 1200

OUEST ET SUD DE L'AFGHANISTAN

- Victoire des Sassanides et des Turcs sur les Hephtalites (557)
- Victoire sassanide sur les Turcs à Hérat (589)
- **Saffarides** (861-900)
- Conquête du Khorassan
- Conquête du Khorassan par les Khwarazmshahs (1187)

EST ET CENTRE DE L'AFGHANISTAN

Kouchano-Sassanides
Kouchanshahs

Hephtalites et Kidarites
Kidara Ier (350)

Alkhans

- Défaite des Hephtalites devant Chandragupta (455)

Hephtalites Nezakshahs (vers 470/480-550/557)

- Victoire des Sassanides et des Turcs sur les Hephtalites (557)
- Victoire sassanide sur les Turcs à Hérat (589)

HÉGIRE (622)

Turki-Shahis (661-843/870)

- Raids arabes
- Raids arabes
- Raids arabes

Hindu-Shahis (843-900)

Samanides (875-999/1005)

Ghaznévides (962-1186)
Mahmoud de Ghazni (999-1030)

Ghurides (1151-1221)

- Sac de Shahr-e Gholgola (1221)

NORD DE L'AFGHANISTAN

Sassanides (224-651)
Shapur Ier (vers 241-272)
Shapur II (309-379)

- Prise de la Bactriane par Hephtal II (425)
- Prise de Balkh par Peroz (467)

Turcs occidentaux (552-657)

Qarakhanides (992-1221)

Khwarazmshahs
Gengis Khan (r. 1206-1227)

1400	• Conquêtes d'Hérat (1381) et de Kandahar (1384)	**Timourides** (1370-1507) **Shahrokh** (r. 1405-1447)	**Husayn Bayqara** (r. 1469-1506)
1500		• Victoire sur les Timourides (1507)	**Chaybanides** (1507-1598)
1600	**Safavides** (1501-1722)	**Grands Moghols** (1526-1858)	**Khanat de Boukhara** (1599-1785)
1700	• Révoltes pachtounes contre les Safavides		
1800			**Royaume d'Afghanistan** (1747-1826)
1900	**Abd-ur-Rahman** (r. 1880-1901)	• 1re guerre anglo-afghane (1838-1842) • 2e guerre anglo-afghane (1878-1880) • 3e guerre anglo-afghane (1919)	**Émirat d'Afghanistan** (1826-1919)
1950		**Amanullah Khan** (r. 1919-1929) **Nader Shah** (r. 1929-1933) **Zaher Shah** (r. 1933-1973)	
1960			**Royaume d'Afghanistan** (1919-1973)
1970	• Coup d'État (1978)	**Daoud** (1973-1978)	**République d'Afghanistan** (1973-1978)
1980		• Coups d'État (1979) • Invasion soviétique (1979) • Lutte des moudjahidines contre les Soviétiques (1979-1989) • Retrait soviétique (1989)	**République démocratique d'Afghanistan** (1978-1992)
1990		• Guerre civile (1992-1996)	**État islamique d'Afghanistan** (1992-1996)
		• Intervention de l'OTAN (2001)	**Émirat islamique d'Afghanistan** (1996-2001)
2000	**Ashraf Ghani** (2014-2021)	**Hamid Karzaï** (2001-2014)	**République islamique d'Afghanistan** (2004-2021)
2020			**Émirat islamique d'Afghanistan** (15 août 2021-)

1400 1500 1600 1700 1800 1900 1950 1960 1970 1980 1990 2000 2020

Crédits photographiques

© ACHCO : p. 219 ; © Aga Khan Trust for Culture : p. 216, 246 ; © Archives Alinari, Florence, Dist. RMN-Grand Palais - © Fosco Maraini/Gabinetto Vieusseux Property : p. 171, 175 ; © ALIPH / Thomas Raguet : p. 14 ; © Ancien Herat Project / photo Ute Franke : p. 208 ; © Ancien Herat Project / photo A. Lange : p. 209 ; © Ancien Herat Project / photo Thomas Urban : p. 204 ; © Aube & Lorain, janvier 2017 : p. 232 ; © Bibliothèque nationale de France : p. 22, 68b, 153m, 214, 215 ; © Collège de France, archives, fonds Fussman – Afghanistan : p. 86, 87 ; © Collège de France, archives, fonds Le Berre : p. 55, 62, 63, 160, 161 ; © DAFA : p. 64, 65, 242 ; © DAFA-ARCHAÏOS : p. 222-223 ; Courtesy of Special Collections, Harvard Fine Arts Library : p. 102, 112, 155, 157, 167, 169, 205, 227, 245, 247 ; © Rika Gyselen : p. 152 ; © Iconem : p. 235, 237 ; © Iconem / Pascal Convert : p. 236 ; © Iconem / DAFA : p. 240-241 ; © Steve McCurry / sudest57.com : p. 32, 33, 49 ; © Ministère de la Culture – Médiathèque de l'architecture et du patrimoine, dist. RMN-Grand Palais / image Médiathèque du Patrimoine : p. 38 ; © Mission archéologique italienne en Afghanistan : p. 178, 184, 185, 186, 187, 188, 189, 190, 191, 193, 194, 198b, 199h ; © MNAAG, Paris : p. 24 ; © MNAAG, Paris / Pierre Cambon : p. 25, 46 ; © MNAAG, Paris / Stéphane Ruchaud : p. 41 ; © MNAAG, Paris, dist. RMN-Grand Palais / image musée Guimet : couverture, p. 16, 19, 27, 28, 30, 42, 45, 52, 59, 60, 61, 67, 68h, 69, 113, 114, 121, 122, 123, 130, 133, 145, 146-147, 150, 151, 154, 156, 158, 159, 163, 164, 165, 166, 180, 183, 210, 211, 231, 233, 250 ; © MNAAG, Paris, dist. RMN-Grand Palais / Thierry Ollivier : p. 39, 73, 84, 85, 89, 91, 92, 93b, 95, 96, 99, 101b, 103, 104, 105, 106h, 108, 109dh, 115, 116, 117, 118, 119, 124, 125, 127h, 128hg, 128b, 140, 149, 153h, 153b, 4e de couverture ; © Musée du Louvre, dist. RMN-Grand Palais / Raphaël Chipault : p. 143 ; © Musée du Louvre, dist. RMN-Grand Palais / Hughes Dubois : p. 213, 229 ; © Musée du Louvre, dist. RMN-Grand Palais / Hervé Lewandowski : p. 202, 203b ; © Musée du Louvre, dist. RMN-Grand Palais / Thierry Ollivier : p. 137 ; © Musée du Louvre, dist. RMN-Grand Palais / Claire Tabbagh / Collections Numériques : p. 199b, 203h, 228 ; © Musée du quai Branly – Jacques Chirac, dist. RMN-Grand Palais / Pauline Guyon : p. 172, 173, 174 ; © Musée du quai Branly – Jacques Chirac, Dist. RMN-Grand Palais / image musée du quai Branly – Jacques Chirac : p. 176 ; © Fabio Naccari 2018, courtesy of the Museo delle Civiltà/Rome : p. 192b, 197, 198h, 201 ; © Robert Nickelsberg : p. 51 ; © Jaroslav Poncar : p. 239 ; © François ORY/ CNRS : p. 225 ; © Marc Riboud / Fonds Marc Riboud au MNAAG : p. 110-111 ; © RMN-Grand Palais (MNAAG, Paris) / Thierry Ollivier : p. 70, 77, 78, 79, 80, 81, 83, 90, 106b, 107, 109g, 109db, 126, 127b, 128hd, 129, 138, 177 ; © RMN-Grand Palais (MNAAG, Paris) / Mathieu Ravaux : p. 101h ; © RMN-Grand Palais (MNAAG, Paris) / Michel Urtado : p. 93h ; © RMN-Grand Palais (musée du Louvre) / Sylvie Chan-Liat : p. 141d ; © RMN-Grand Palais (musée du Louvre) / Franck Raux : p. 141g, 142 ; © Damiano Rosa 2018, courtesy of the Fondazione Torino Musei : p. 192h, 192m, 198m ; © The Trustees of the British Museum : p. 75.

Cet ouvrage a été composé
en Palatino et Vandermark

La photogravure a été réalisée
par Les Caméléons, Paris

Achevé d'imprimer en
septembre 2022 par Pb-tisk,
République tchèque (Union
européenne)